# Beitske Bouwman

## *Daan en Olivia*

Amsterdam · Antwerpen
Em. Querido's Uitgeverij BV
2015

Omslag Esther van Gameren
Omslagbeeld Jamie Heide/Trevillion Images
Foto auteur Allard de Witte

ISBN 978 90 214 5954 7 / NUR 301
www.querido.nl

'Als er geen haat was, zouden we dan wel
weten dat liefde het hoogste doel is?'

*Elisabeth Kübler-Ross* (1926–2004)

# O.

Hij liet zichzelf uit. Deur open, deur dicht, het tuinpad op, door het hek, het hek dicht, de auto in en weg reed hij. Ze keek hem niet eens na. Ze hoorde alleen de geluiden. Van de deur, zijn voetstappen op het tuinpad, het piepende hek, de autodeur, de motor en het wegrijden. Daarna de stilte.

Olivia bleef al die tijd op haar stoel zitten en keek naar de witte muur tegenover zich. Iedere vorm van zwaaien zou misplaatst zijn geweest. Een hand omhoogsteken was te min, een beetje wuiven te deftig, wild zwaaien te enthousiast. Geen enkele manier paste bij dit afscheid, bij deze verwijdering uit elkaars leven. Wat had hij net gezegd? Dat hij nog terug zou komen? Om wat te doen? Om toch nog die ene omhelzing te geven? Ze duwt zich langzaam omhoog uit de stoel, loopt naar het raam en kijkt naar de lege parkeerplaats. Vier witte lijnen die precies de plek aangeven waar de auto moet staan. Hij is zo vaak leeg geweest, maar nu lijkt de leegte anders, er ligt geen belofte meer in besloten, een belofte van terugkeer. Ze weet niet waar hij naartoe is gegaan. Naar zijn vriend in de stad? Naar zijn ouders? Zou hij dat durven, terugkeren naar zijn ouders om ze onderdak te vragen?

Alles om haar heen ademt nog een wij, de bank, de kunst aan de muur, de stoelen aan de tafel, de tijdschriften in het rek. De kopjes waaruit ze koffie dronken, zullen nog lang zíjn kopjes blijven, alleen híj kon zijn handen er zo omheen vouwen dat het leek of er geen kopje was en hij de hete koffie uit zijn handen naar binnen slurpte. Zijn handen zullen nog wel op meer plekken blijven. Op messen, lepels, flessenopener, deurklink, douchekop, tafelblad, tuintafel, pan met afgebroken oor, suikerlepeltje. Misschien moet ze haar hele hebben en houwen naar de vuilnisbelt brengen zodat het daar met de herinneringen kan wegrotten, is dat de enige manier waarop ze hem kan laten verdwijnen.

Ze sluit de gordijnen, knipt een lamp in de woonkamer aan, loopt naar de tafel, strijkt een lucifer af en steekt een kaars aan. De krant ligt nog opengeslagen op tafel. Hij zou zo terug kunnen komen, de deur kunnen openen en aan tafel kunnen gaan zitten om het blad om te slaan. Ze wil de krant dichtvouwen, maar iets weerhoudt haar, ze neemt plaats op zijn stoel en laat haar blik over de woorden dwalen, *dode man gevonden in kanaal – nu ook crisis in de metaalsector – telescoop signaleert inslag op maan.* Hoe zouden deze verhalen zich in zijn geest hebben verankerd, of waren ze weggedreven in de lucht? Had de dode man geen duikvlucht naar zijn hart genomen, de metaalsector geen vuur in hem aangewakkerd en de maan niet tot zijn verbeelding gesproken? Had de buitenwereld hem koud gelaten en had hij naar buiten getuurd, naar de tuin, naar de schuur, en gedacht aan het werk dat nog op hem lag te wachten?

Ze laat haar vingers over het papier dwalen, laat ze rusten, buigt haar hoofd voorover en legt het op haar handen. Ze droomde vannacht van een wind die zo sterk was dat hij haar uit bed blies, door het dak heen, over de dorpen, de steden, de zee, naar een woestijn waar het zo heet was dat ze haar voeten brandde aan het zand. Ze sprong voortdurend in de lucht, gilde dat de wind haar weer moest komen halen, maar de wind kwam niet, haar voeten brandden zich aan het zand en er ontstonden grote bloedende blaren, ze sprong en gilde net zo lang tot ze wakker werd van haar eigen geschreeuw. Ze weet niet of dromen haar iets te vertellen hebben, misschien zijn dromen onzin, vertellen ze haar niets, maar het beeld van die blaren blijft haar bij, alsof ze er toch echt was, daar in de woestijn, in de hitte, dansend in de lucht omdat het te heet onder haar voeten werd.

Het was, bedacht ze nu, de laatste nacht geweest dat hij naast haar lag. Maar dat wisten ze toen beiden niet. Tenminste, zij wist het niet. Wist hij het wel? Misschien had hij het allemaal minutieus voorbereid en was hij precies op het tijdstip dat hij voor ogen had gehad de keukendeur uit gelopen. Dat was ook wel iets voor hem, met een secondewijzer in zijn broekzak zijn aftocht regisseren.

# D.

Daan kijkt in de autospiegel om zich ervan te verzekeren dat hij het werkelijk is. Ja, daar zit hij, in de auto, niet op weg naar zijn werk, maar weg, weg van zijn huis, van zijn vrouw, van wat ooit een idylle had kunnen zijn.

Misschien had hij beter kunnen schreeuwen, haar verrot kunnen schelden, haar slaan, haar proberen te raken met scherpe woorden zodat ze huilend voor hem had gestaan. Dan was er nog enig drama geweest aan zijn vertrek. Ach, hij had het ook niet aan kunnen zien als ze was gaan huilen. En had het nog iets uitgemaakt? Hij had het opgegeven toch? Hij had hun liefde opgegeven. Klootzak, rotvent, eikel, dacht hij, maar hij kon niet anders. Dan maar een klootzak, rotvent en eikel. Een mislukkeling in de liefde. Als hij wist wat liefde was. Dat idiote woord liefde kon hem gestolen worden. Rechts afslaan, hoofd omdraaien voor de blinde hoek, stuur mee laten draaien, terug laten komen, door de handen laten glijden. Niet meer achteromkijken. Zelfs niet in de achteruitkijkspiegel, alleen voor het verkeer, niet omkijken of ze alsnog de keukendeur uit is gerend en haar auto heeft gestart om hem achterna te komen.

Ooit waren ze samen naar een toneelbewerking van *Romeo en Julia* gegaan, nee, hij zou niet verder willen leven als Olivia zou sterven, had hij haar na afloop verzekerd terwijl hij haar in de hals kuste, van wie anders kon hij zo houden? Maar wat was er, denkt Daan nu hij langzaam over de laatste drempel van de woonwijk rijdt, van Romeo en Julia terechtgekomen als ze ouder waren geworden, hadden ze dan nog smachtend onder elkaars balkon gestaan? Zou Julia nog altijd haar leven hebben gegeven voor zijn liefde of had ze al lang een ander op het oog gehad?

Romeo en Julia bleven voor eeuwig verliefd omdat ze zich in de liefde hadden gedood. En de mensheid bleef dromen van een liefde zoals die van Romeo en Julia, van een balkonscène, van een geliefde die zich het mes tussen de ribben steekt als zijn teerbeminde sterft.

Daans liefde had veel te lang geleefd om nog gedood te kunnen worden, ze was weggestorven. Als er mensen waren geweest die hun liefde voortdurend onmogelijk hadden willen maken, hen hadden beschimpt, verafschuwd en bekritiseerd, misschien hadden ze dan

langer gevochten voor elkaar, hadden ze willen bewijzen dat de buitenstaanders ongelijk hadden en dat zij
het juiste deden. Nu was het gevecht naar binnen geslagen en dat had hen genadeloos neergesabeld. Hij
had zich niet eens omgedraaid om een laatste blik op
haar te werpen!

Hij was liever door haar aangevallen met een mes of
bedrogen met een andere man dan dat hij het tergen-
de slopende gevecht van de afgelopen jaren had moeten voeren, dan was hij vast in verzet gekomen omdat
de pijn ondraaglijk was of omdat zijn trots werd geraakt en hij zijn macht wilde laten gelden. Nu waren
zij zelf de vijand geworden, en hoe vecht je tegen iets
wat je zelf bent? Hoe vecht je tegen de haat die zich
een weg naar binnen vreet? Romeo zou zijn Julia toch
ook de nek om hebben gedraaid als ze vele jaren samen in een klein appartement het leven hadden moeten slijten?

En nu is het gebeurd. Hij is in de auto gestapt en
weggereden. Nog twee bochten, dan is hij de wijk uit.
Behendig draait Daan het stuur om, nog steeds beheerst, zonder emotie.

# O.

Het liefst zou ze hier willen blijven zitten om in het moment te verblijven. Het vreemde lege moment waarin het verleden achter haar ligt maar de toekomst nog geen invulling kent. Ze verkeert, zo voelt het haast, in een schemergebied. Er is geen koers, geen richting, geen uitzicht. Ze heeft niets om zich op te richten behalve de leegte die Daan heeft achtergelaten, een leegte die op een vreemde manier niet echt leeg is, omdat ze wordt gevuld met zijn afwezigheid. Ze draait haar hoofd op haar handen heen en weer.

Ze gelooft eigenlijk helemaal niet dat hij niet meer van haar houdt. Ze denkt dat hij niet in staat is van zichzelf te houden en daarom op de vlucht is geslagen. Maar dat wilde hij niet van haar aannemen. Nee, toen ze hem dat op een middag tijdens een boswandeling probeerde duidelijk te maken terwijl ze hem op een bloeiende bosanemoon wees, wierp hij haar voor de voeten dat ze echt niets van hem wist, dat hij niet van plan was naar haar oordeel te dansen, dat ze kon vergeten dat hij zou veranderen in een man die ze wilde, en hij smeet daarbij de appel op de grond waarvan hij nog maar net twee happen had genomen. Ze had naar de appel gekeken die door het blad rolde en zich afgevraagd welke dieren die appel verder zouden verorberen, mieren, torren, vogeltjes of misschien een wild zwijn? De kans was ook groot dat de appel langzaam weg zou rotten omdat hij, eenmaal tot stilstand gekomen, verscholen lag onder bladeren. Daan was van haar weggelopen, naar de auto, ze had naar zijn rug gekeken waarin de spanning van het verwijt zichtbaar was, alsof hij haar op afstand alsnog van zich af wilde duwen.

Misschien had hij wel gelijk, misschien wilde ze hem gevangenzetten. Als hij geen vrijheid had, was hij voorspelbaar, dan was hij van haar, dan wist ze wat hij deed. Een man in vrijheid, die is gevaarlijk, die kun je verliezen, die gaat zijn eigen weg. Had ze maar eerder beseft dat een man in gevangenschap nog veel bedreigender is, die snijdt zich een weg in zijn eigen ziel tot er niets meer van over is, tot hij een inktvis is zonder tentakels, hulpeloos drijvend in zee, niet meer bij machte iets uit te voeren, iets tot stand te brengen. Maar ze was blind, ze tastte in het duister, ze begreep hem niet, ze begreep niet waar hij heen wilde, en ze probeerde hem te temmen, zoals een leeuw in het circus wordt getemd, met zwepen en beloningen, met verwijten en seks.

Het was eigenlijk een wonder dat ze nog leefden, ze hadden elkaar kunnen vermoorden, met een mes of met een baksteen tegen het hoofd, niet dat ze dat werkelijk hadden gewild, zeker niet, maar omdat ze in een vlaag van verstandsverbijstering, in een vlaag van ongekende woede handelden, omdat ze niet wisten wat ze deden, omdat ze niet wisten wie ze waren. Of wisten ze wel wie ze waren? Nee, toch? Dat wisten ze toch niet? Als ze het wel hadden geweten, hadden ze het niet zover laten komen, dan was hij toch niet gegaan? Dan hadden ze toch nog alles uit de kast getrokken om het te laten slagen? Of hádden ze al alles uit de kast getrokken? De ongelukkige jeugd, de schuld van de ouders, de schuld van het werk dat dwarslag, de schuld van vrienden, de schuld van de verliefdheid die zomaar op kwam zetten, de schuld van het verleden en de schuld van de toekomst die ze niet kenden maar die hun wel de das om deed, met een stevige ruk, zodat het heden ook geen adem meer kreeg.

Wat zou hij de laatste nacht gedroomd hebben? Zou hij net als zij in de woestijn zijn voeten hebben gebrand? Niet dat hij haar ooit zijn dromen vertelde. Ik droom niet, zei hij altijd. Maar ze geloofde hem niet. Hij wilde zich de beelden uit zijn onderbewuste waarschijnlijk helemaal niet herinneren, zo angstig als hij was voor wat zich in hem kon aandienen, voor het zelfbeeld dat hij zou kunnen ontdekken.

Ze heeft nog vaak gedacht aan die appel onder de bladeren. Misschien had ze hem toen moeten oprapen om hem tegen zijn rug aan te keilen. Precies tussen de schouderbladen, een beetje naar links, daar waar zijn hart klopt. Maar ze liet de appel voor wat die was, draalde nog een beetje rond, en liep uiteindelijk achter hem aan om zwijgend naast hem plaats te nemen in de auto.

# D.

Het is rustig op de weg. Daan leunt iets achterover in zijn stoel. Nu pas voelt hij de spanning in zijn lijf, zijn spieren lijken in vluchtstand te staan, wachtend op het moment dat ze in actie moeten komen. Hij ademt langzaam uit, legt zijn linkerelleboog tegen het raam, zijn rechterhand op het stuur en zucht nog eens. Zo. En nu? Hij is dan wel vertrokken, maar hij weet niet waarheen, behalve dan dat hij rechts af is geslagen op de snelweg en dus naar het noorden rijdt. Hij kan naar zijn ouders rijden. Maar wat moet hij daar? Ze zullen de deur voor hem openen, ze zullen een bed voor hem opmaken, misschien wel in zijn oude kamer, die ze nooit hebben veranderd. Zijn bureau staat er nog, evenals de rode bureaustoel. De donkerblauwe gordijnen, dik gevoerd zodat er geen enkel licht doorheen kon komen als hij in de weekenden de hele dag in bed lag, zijn weliswaar een beetje versleten, maar houden nog genoeg daglicht tegen. Zelfs de stickers van zijn geliefde automerken zitten nog op de spiegel. Hij weet nog dat hij ze erop plakte: op de randen links, rechts, boven en onder en dan opbouwen naar het midden, precies zo dat er een kleine opening overbleef waarin hij zijn gezicht kon zien. Toen hij zich ging scheren, moest hij steeds zijn hoofd draaien om een stukje huid te kunnen zien dat nog stoppels had, maar de stickers weigerde hij te verwijderen, zo probeerde hij het ouder worden te bezweren.

Over een paar kilometer splitst de snelweg zich in twee richtingen, naar het noorden en naar het westen. Welke kant zal hij kiezen? Hij leerde zich scheren van zijn oom. Oom kon in zijn puberjaren niet vaak genoeg langskomen, hij stormde meestal meteen naar zijn kamer om de gordijnen open te trekken, hem uit bed te sleuren en zijn kaken eens goed te bekijken. Op een dag schreeuwde hij het uit: 'Daan, het is zover! Trek je kleren aan!' Hij sleurde Daan, half slaperig, mee naar de drogisterij en sprak waardig en trots: 'Deze jongen heeft een scheermes nodig, een voor het leven.' De man achter de balie glimlachte, trok een of andere la open en stalde een tiental scheermessen met verzilverde handgrepen uit. Oom koos de duurste, Daan koos niets, hij opende niet eens zijn mond, oom betaalde en toog met mes en scheerschuim in een plastic tasje terug naar huis. Daar installeerde hij Daan voor de spiegel en leerde hem hoe te scheren. Schuim in de handen, beetje water erbij, voorzichtig aanbrengen, doe het met liefde, jongen, doe het met liefde, je baard is niet zomaar wat haargroei, het is de essentie van je mannelijkheid, dus behandel die haren met liefde, dan het mes schuin op de huid zetten en voorzichtig naar beneden trekken. Daan sneed zichzelf meer dan vier keer. Overal zaten pleisters, hij ging een week lang niet naar school. Oom lachte hem uit, maar kwam om de dag kijken of het weer nodig was. Na twee weken, alle snijwonden waren net genezen, vond hij het tijd. Hij zette Daan weer voor de spiegel. Daan gehoorzaamde braaf. Misschien, denkt Daan, ben ik geschapen om niet te protesteren, doe ik al mijn hele leven gedwee wat ze me opdragen, misschien ben ik daarom vertrokken, en zelfs dat is geen echte keus, ik ben niet ergens naar op weg, ik heb geen richting, ik wist alleen dat ik niet meer wilde. Oom bracht het schuim aan en Daan zette het mes schuin op de huid, en ja, dit keer zonder sneetjes, alleen een kleine in zijn hals, maar die kon hij bedekken met een sjaal. En altijd controleerde oom zijn geschoren wangen. Zelfs toen hij oud en krom in een stoel zat, zei hij dat hij eens even wilde kijken of Daan het wel goed had gedaan. Toen Daan een paar jaar lang zijn baard liet staan, verfoeide oom hem. Lapzwansen waren dat, mannen met baarden, te lui om zich te verzorgen, te dom om in te zien dat een kale man meer zeggingskracht heeft, dat woorden pas geloofwaardig zijn als ze uit een gladgeschoren bek komen. Daan heeft hem er nooit van kunnen overtuigen dat sommige mannen graag hun baard laten staan om juist te laten zien dat ze man zijn, dat ze hun mannelijkheid meer allure geven met een baard, dat het geen pratende kut is, zoals oom beweerde, wanneer hij het niet zo nauw nam met de woorden, maar een mannelijke bekrachtiging van het woord. Het woord omringen met een baard was mooi, zacht, eloquent en krachtig. Mannelijk, om het zo te zeggen. Onzin, vond oom. Op een dag, toen oom zelf het scheermes niet meer zo zeker kon hanteren, vroeg hij of Daan hem wilde scheren. Daan zette hem in de stoel, hing een spiegel op en schoor de gerimpelde huid glad, zonder een enkel sneetje, ooms ogen begonnen bij iedere haal meer te glimmen. 'Verdomd,' zei hij knikkend, 'verdomd, dat heb ik je toch mooi geleerd.' Olivia hield niet van het scheermes, ze was altijd bang dat hij zichzelf zou snijden. Ze kocht ieder jaar het nieuwste model scheerapparaat voor hem: 'Dat ben je toch wel waard?'

Als oom nog had geleefd, was Daan zeker naar hem toe gegaan. Hij zou vast nog ergens een matras vandaan hebben getoverd, en als hij dat niet had gehad, zou hij de bank hebben aangewezen als slaapplek. En dan had hij hem zijn scheermes geleend, met zeep en al. Vrouwen, had oom waarschijnlijk gemopperd, vrouwen, daar moet je niet van houden. Zelf had hij één keer in zijn leven een meisje gehad, maar hij had er nooit iets over willen vertellen. In de familie ging het gerucht dat het zijn grote liefde was, maar dat ze niet met hem mocht omgaan vanwege zijn boerenafkomst. Hoewel hij zich had opgewerkt tot respectabele verzekeringsadviseur, vonden sommige notabelen uit het dorp dat het niet ging om de arbeid die werd verricht maar om het bloed dat door de aderen stroomde. De vader van het meisje was gevoelig voor de kritiek en zij weer voor haar vaders wil: ze verbrak de verloving. Voor oom geen Romeo en Julia, hij schikte zich in zijn lot en besloot geen enkele vrouw meer te veroveren. Behalve hoeren dan. Daar ging hij wel naartoe. Wat moest hij anders? bromde hij zo nu en dan. De liefde wilde hem niet, dan maar het betaalde genot.

Oom stierf zomaar op een doordeweekse dag zonder enige ziekte of aankondiging vooraf. Hij zat dood in zijn stoel, met een kop koffie op een tafeltje naast hem. En een stoppelbaardje. Er was niemand die hem iedere dag wilde scheren. Daan deed het toen oom al opgebaard lag. Met een scheerapparaat, zodat hij niet met een snee het graf in zou gaan.

Misschien was oom wijzer geweest in het leven, dacht Daan. Hij was in ieder geval nooit ergens voor gevlucht. Of toch wel? Had hij zich van zichzelf vervreemd door de liefde buiten te sluiten? Door te beslissen dat de liefde niet was weggelegd voor hem? Was hij niet al te gemakkelijk slachtoffer geworden van zijn afkomst? Ondenkbaar dat dat nu nog zou gebeuren. Alhoewel, Daan had genoeg collega's die hun uiterste best deden om hun kinderen met de juiste speelkameraadjes in contact te brengen, je wist tenslotte maar nooit hoe ze op het slechte pad terechtkwamen. En dat kon van alles zijn, sommigen vonden het pad van een loodgieter al slecht.

Daan wil niet naar zijn ouders. Maar hij weet niet

of hij een keus heeft. Hij wil ook niet bij een van zijn collega's aankloppen. Misschien kan hij gewoon in de auto blijven? Er ligt een deken achterin. Het enige wat hij nog nodig heeft is een hoofdkussen om tegenaan te leunen. Hoe laat is het eigenlijk? Hij werpt een blik op de digitale klok van het dashboard. 20.04. Wat zou zij nu doen? Had ze al zijn kleren uit de kast gesmeten? En haar vriendinnen gebeld? Hij is weg! Hij is eindelijk weg! Kom je langs, dan maken we de champagne open, vieren we de vrijheid!

Misschien lagen er nu zes vrouwen laveloos op de bank, in bed, aan de keukentafel, bezopen van de drank omdat ze meenden iets te vieren te hebben.

# O.

Olivia legt haar linkerhand op haar hartstreek, haar hart klopt rustig, verontrustend rustig. Zou het niet van slag moeten zijn, zou het niet hard moeten hollen in een poging de liefde nog te vangen? Wat deed haar hart bij het verlaten van de liefde, het klopte rustig verder. Of kende ze haar hart niet goed genoeg, wist ze niet hoe het tot haar sprak? Boem, boem, boem, een regelmatig ritme, een gezond hart, zou de cardioloog zeggen. Nee, haar hart zegt haar niets. Behalve dan dat het gezond is en haar bloed rondpompt.

Morgenochtend wordt ze om halfacht bij de snij-tafel verwacht. Maar ze weet nog niet of ze in staat is het mes te hanteren en in opperste concentratie een incisie te plaatsen. Misschien trilt haar hand of dwa-len haar gedachten plotseling af naar Daan, juist op een moment dat ze de huid met klemmen vast wil zetten. Honderden huiden heeft ze opengesneden en weer behoedzaam aan elkaar genaaid. Ze weet hoe de bloedvaten lopen, waar het bloed stroomt, wat de or-ganen doen, ze kent alle functies. Alleen die functies zeggen niets over de mens die er onder haar handen ligt, ze weet niets van hen. Eigenlijk kent ze alleen de mens Daan. Van hem weet ze hoe hij met zijn handen over zijn gezicht wrijft als hij nadenkt, hoe zijn adams-appel op en neer gaat als hij drinkt, als hij praat, als hij schreeuwt, als hij gilt, hoe zijn tong om de hare draait, hoe zijn geslacht in opgewonden staat tegen haar on-derbuik duwt, ze weet het wanneer hij moe is, ze weet zelfs hoe zijn gezicht vertrekt als hij zijn plas ophoudt, hoe hij zucht als hij op het toilet zit, ze weet het al-lemaal, maar misschien was weten niet genoeg, mis-schien voelde ze niet genoeg, misschien voelde ze zijn bloed wel niet werkelijk stromen.

'Waar is je hart?' schreeuwde hij toen ze voor de zo-veelste keer probeerde hem in haar stramien te krij-gen, hem ervan te overtuigen dat een familiebezoek nu echt het beste was wat ze konden doen, hij wilde niet, hij wilde in de tuin zitten, het gras maaien, op de fiets springen en langs de rivieren rijden, het water voorbij zien glijden. Zij wilde dat ook, maar vond dat het niet kon, er waren mensen die een bezoekje verwachtten. Hij werd kriegel van haar bezoekjes, hij werd überhaupt gestoord van ieder bezoekje, uit of thuis. Hij hield van de rust, de rust in het huis, van het niets, van de wereld in zijn eigen hoofd. Ja, dat verweet ze hem toen, dat hij verliefd was op zijn eigen hoofd, op zijn gedachten, op zijn wereld, dat er in hem werkelijk, maar dan ook werkelijk geen enkele ruimte was voor de ander, voor de medemens! Hij keek haar boos aan en sneerde dat ze geen idee had wat er in zijn hoofd omging, draaide zich om en liep weg.

In het begin zat hij na zo'n kibbelpartij uiteindelijk toch keurig aangekleed naast haar in de auto. Later weigerde hij zich aan haar wens te conformeren, dan trok hij uit protest twee verschillende sokken aan zodat ze zich daar de hele middag over kon opwinden, of nog erger: hij trok een oud overhemd aan met een versleten kraag, hij wist precies in welke hoek hij haar kon krijgen. Zwijgend reden ze naar de plaats van bestemming. Om vervolgens, als de deur werd opengedaan, het bekende toneelspel op te voeren. Want ach nee, bij die bezoekjes was er niets aan de hand, dan raakte ze zijn been aan, glimlachte naar hem, aaide hem even over zijn hoofd. Ze denkt dat de mensen die ze bezochten altijd vonden dat ze zo'n innige en intieme relatie hadden, dat het altijd goed was tussen hen, dat zij de ideale combinatie waren.

Of wilde ze dat denken? Doorzag iedereen het spel, zoals zij het spel van anderen doorzag? Zagen ze de oppervlakkigheid van haar aanraking? De valsheid van haar glimlach? Ach, al die bezoekjes zijn toch een groot toneelstuk! Iedereen is vooral bezig zichzelf op de borst te kloppen, de ander te beschouwen, te beoordelen en vervolgens bevestigend in zichzelf te knikken: ja, wij zijn beter, wij doen het beter, wij weten het beter, ons leven is beter.

En zij, Olivia? Zij was net als iedereen. Hoewel ze wist dat ze als toneelspeler in het decor van het leven zat vastgeklemd, deed ze er niets aan. Ze speelde het spel mee, vaak met verve. Zonder zich af te vragen wat ze nu werkelijk wilde. Ze liet zich leiden door de conventies, door de eisen die er aan haar werden gesteld.

Ze denkt niet dat ze zichzelf had kunnen bevrijden, ja, misschien wel, maar dan had ze een deur open moeten zetten. Niet naar buiten maar naar binnen, naar zichzelf. En dat durfde ze niet. Ze was bang, zo bang als een klein vogeltje dat bibberend in de hoek afwacht tot de kater haar verzwelgt, met botjes en al. Hoe stom kon je zijn. Maar dat is achteraf, nu is het te laat om nog op te vliegen en een adelaar te worden. Of, nee, een adelaar hoeft ze ook niet direct te zijn, een sperwer is genoeg, of een kleine uil, of desnoods een zwaluw die dartelt door de lucht, of als dat er ook niet in zit, een huismus huppend over het tuinpad.

Een huismus, misschien zou ze dat zijn, dat was ze tenslotte ook geworden, een huismus wachtend tot hij thuiskwam, alles in gereedheid om het geluk te vieren waar ze recht op had, ondertussen vergetend dat ze niet alleen een huismus was, maar toch ook die roofvogel op zoek naar een prooi, of nee, ze was die roofvogel vermomd als huismus, en dat had hen vernietigd. Wie niet zijn ware aard toont, gaat uiteindelijk ten onder. Ze speelde dus die huismus, niet in staat om haar vermomming kenbaar te maken. En hij maar gissen wat er achter de frustratie school, achter haar getreiter, achter haar driftige gedribbel van links naar rechts, van onder naar boven totdat ze beiden de weg kwijt waren, ze niet meer wisten waar ze waren begonnen, waar het hun om te doen was en vooral waar ze heen moesten.

Als iets of iemand hun toen de juiste richting had gewezen, hadden ze misschien nog kunnen keren, waren ze misschien alsnog de juiste weg in geslagen. Maar er was geen richtingaanwijzer, zelfs geen plattegrond, het was een zoektocht in het onbekende.

Ze wisten wel dat iedereen zocht, maar ja, iedereen zweeg, er was toch niemand die vertelde op welk terrein van de geest van de ander hij was aanbeland? Iedereen deed toch alsof hij de liefde begreep? En als het niet ging tussen twee mensen, dan was dat altijd bij anderen. Dan werd er zoiets gezegd als: ja, ik heb altijd wel gedacht dat die uit elkaar zouden gaan, ze pasten ook niet echt bij elkaar, ik heb ook nooit begrepen wat zij bij hem deed, of ik wist wel dat zij veel te saai voor hem was, of zij wilde te veel, hij kon haar niet bijbenen, of hij is gevlucht of zij is weggelopen, het was toch ook geen leven meer, en wat er al niet meer bij werd gehaald om te bevestigen dat het einde van de liefde klopte, en ondertussen vroegen deze mensen zich af of ze zelf wel klopten, of hun liefde er nog wel was, of het toekomstbestendig was wat ze aan het bouwen waren.

Terwijl ingenieuze wolkenkrabbers uitvoerig worden getest, wordt de liefde niet doordacht. Misschien moet Olivia daar ook maar niet aan beginnen, is het de meest zinloze bezigheid om de liefde te doordenken. Ze weet het niet. Ze denkt dat het toch zinvol zou kunnen zijn.

Hier is mijn hart, Daan, hier, en Olivia klopt met haar hand op haar hart. Een hart met vier kamers, bloed, kleppen en een spier. Het pompt het leven rond, maar ze heeft geen idee welk leven het rond wil pompen. Ze heeft veel kloppende harten in opengesneden lijven gezien, maar nooit kunnen zien of het hart een missie had. Ze sluit haar ogen en probeert haar hartslag waar te nemen, nog altijd rustig, bedaard. Een regelmatig ritme. Zou het hart van Daan nu ook rustig kloppen? Of is het van slag?

Het is tijd, spreekt Olivia zichzelf toe, tijd om van

de tafel op te staan en in beweging te komen, het schemergebied te verlaten, iets te doen, anders verzandt ze in haar gedachten, draait ze zich hopeloos vast en is het de vraag of ze er nog uit komt. Olivia staat op, loopt naar de keuken, draait de kraan open en laat een glas volstromen.

# D.

Wacht, wat ligt er in het noorden? De zee toch? Waarom zou hij niet naar zee rijden, de auto parkeren en overnachten met uitzicht op de horizon? Net als die Rus in de documentaire die hij laatst zag. Zijn hele bezit lag in de kofferbak. Een paar dekens, koffiezetapparaat, snijplank, borden, kooktoestelletje, twee pannen en een koffer met kleren. Toch kroop die man elke avond zielsgelukkig met een boek op zijn achterbank, sloot de gordijnen die hij kunstig had opgehangen aan zelf gemonteerde haakjes, deed de zaklamp aan en las een van zijn favoriete schrijvers, zonder lastiggevallen te worden door wie dan ook. Geen gezeur over kopjes koffie of een visite hier of daar. In alle rust, ergens op een verlaten parkeerterrein een boek lezen. Was dat niet het werkelijke leven? Zat hij in die woonkamer met alle designmeubelen en opgeklopte kunst aan de muur niet dood te wezen? Lag het leven niet buiten op hem te wachten op een afgelegen parkeerterrein?

Daan leunt achterover en staart naar de lege weg voor zich. Ja, hij rijdt naar het noorden, naar zee, niet om te zwemmen, nee zeker niet, hij zwom niet in zee, maar om naar de horizon te staren. En dan? Geen idee. Hij weet niet wat hij gaat doen. Maar maakt dat iets uit? Heeft hij überhaupt ooit geweten wat hij ging doen?

'Vraag het Heraud maar, die weet alles.' Of: 'Ga maar naar Heraud, die breit het wel rond.' Iedereen keek naar hem als het ging om de cijfers. Elke dag stonden er zeker vijf collega's onaangekondigd voor zijn bureau met een stapeltje papieren en benauwde gezichten, kon hij iets rechtzetten...? En hij, Daan Heraud, knikte zwijgzaam, gebaarde dat ze naast hem konden gaan zitten, schoof zijn stoel dichter bij de tafel, wierp een blik op de uitgestalde paperassen en zag het meestal al meteen, zonder dat de collega ook maar iets had gezegd. Terwijl die stotterend en met veel schroom probeerde uit te leggen wat eraan schortte, zette Daan zijn rode stift al op het papier en begon cijfers te omcirkelen en pijlen te trekken. Maar een beslissing nemen deed hij niet, hij legde slechts bloot wat er ontbrak, en dat deed hij genadeloos, snel en precies. Hij hield van cijfers. De vormen, de wijze waarop ze op te tellen en af te trekken zijn, de logica, maar ook de geheimzinnigheid ervan, het eeuwige voortbestaan van het getal pi, de kwadraten, de wortels, als het maar cijfers waren. Hij tekende als kind geen huizen, bomen of bloemen. Hij tekende cijfers. Een 9 met een krul, een 8 groot en rond, een 3 met allerlei verschillende rondingen. Hij had ook een eindeloze variatie op het getal 5, een zwaan, een golf, een mannetje met een dikke buik of een haak waaraan je alle andere cijfers kon ophangen. Wie hem vroeg wat zijn lievelingscijfer was, kreeg een uitgebreid antwoord. Hij besprak de cijfers van 0 tot en met 9, gaf aan waar ze in uitblonken en wat het nadeel was van de ronding van de 9 of de bolling van de 6. De meeste kinderen keken hem stomverbaasd aan om vervolgens ongeduldig hun vraag te herhalen. 'Ik kan niet kiezen!' riep Daan dan, als ze het niet langer uithielden en hij pas net bij de uiteenzetting van nummer 7 was beland. 'Ik hou van ze allemaal!'

Als Daan een keuze had moeten maken, had hij waarschijnlijk de 0 gekozen. Rond en allesomvattend, leeg en vol tegelijkertijd. De nullijn, de grens tussen de werkelijke en de fictieve wereld. Alles onder de nul bestaat niet werkelijk. Dat bestaat alleen in je fantasie, net als het pratende konijn van Alice. Maar het is er wel degelijk. Het gebrek aan appels, peren, hout of wat dan ook is voelbaar. Maar je ziet het niet, je kan het niet aanraken, je kan er geen berg van maken, van −20 aardappelen.

Toch ziet hij het altijd voor zich, een berg aardappels die er niet is maar wel zou kunnen zijn. Misschien is dat zijn talent, dat hij ook alles wat er aan cijfers niet bestaat, een beeld geeft.

Het is altijd een lekker gevoel als alles klopt, als de cijfers passend zijn. Voordat de boekhoudprogramma's hun intrede deden, kon hij urenlang zoeken naar een verloren cent, één cent was hem een doorn in het oog. En hij vond hem altijd, verstopt tussen ontelbare getallen. Nu hoefde hij niet meer te zoeken naar centen, maar was het een kunst om de cijfers zo te positioneren dat er onder de lijn een kloppend getal uit kwam. Het maakte hem ook niet uit waarmee hij rekende – snoep, auto's, bedden, patiënten – als er onder de streep maar iets uit kwam wat tevreden stemde. Olivia verweet hem altijd gewetenloos te zijn. Ze kon zich niet voorstellen dat het hem niets uitmaakte wat hij zoal berekende. Ooit, tijdens een ruzie, beet ze hem toe dat zo het verval van iedere samenleving begon. Als zelfs mensen nummers werden, was het einde zoek. Hij had gesnauwd dat hij heus wel de grens wist te bewaken, en toch was het gaan knagen. Hij betrapte zich erop dat hij tijdens zijn werk niet meer de gedrevenheid had die hij eerder van zichzelf kende. Hij aarzelde soms om cijfers heen en weer te schuiven, net zo lang tot ze klopten. Het bleef niet onopgemerkt. 'Wat schort er, Heraud?' werd hem onlangs nog gevraagd. Hij had achteloos zijn schouders opgehaald en was weggelopen. En ook dat had hem van zijn stuk gebracht. Wat was er met hem aan de hand? Kon hij zich dergelijk gedrag wel veroorloven? Moest hij zich niet vermannen en zijn positie bewaken? Zat hij daarom hier in de auto op weg naar zee? Wilde hij niet alleen uit het leven van Olivia, maar ook uit zijn eigen leven verdwijnen?

# O.

Plotseling voelt ze zijn hand in haar nek, ze draait zich om maar hij is er niet. Ze verbeeldt het zich. Een warme hand die strelend omhoogkruipt, haar oor vindt, een vinger in haar oorschelp draait, er weer uit komt, terug naar haar nek, zachtjes aan haar haren trekt, er een knoopje in draait, dan haar hoofd naar achteren duwt zodat de lippen de hare kunnen beroeren. Waar was ze bang voor geweest? Dat hij haar zou verzwelgen? Waarom had ze een bastion opgebouwd?

Ze recht haar rug, schudt zijn hand van zich af, alsof hij daar zo-even werkelijk lag, pakt het glas water op en loopt naar de woonkamer. Ze glijdt met haar andere hand langs de muur, legt heel even haar oor ertegenaan. Het is alsof ze hun stemmen kan horen fluisteren, zingen, lachen, vloeken, schreeuwen. De betekenis van de woorden doet er niet eens toe, het is wat er achter de woorden schuilgaat aan toonhoogte, vibratie, timbre:

een symfonie van hun liefde. En van hun haat. Ze blijft met haar oor tegen de muur gedrukt staan, ze wil iets ontdekken in de geluiden, een hapering, een valse noot of een misplaatste toon die een voorzet geeft voor de ontsnapping, die de aanzet vormt tot het sluitstuk.

Aan het huis kan het niet gelegen hebben. Ze waren meteen verliefd op de hoge muren, een tuin rondom, een zolder waar je kon ronddwalen, een keuken met plek voor een grote houten tafel, uitzicht op de rivier, op het stromende water. De eerste keer droeg hij haar over de drempel. Hij tilde haar op en zette haar pas in de woonkamer weer neer.

'Welkom in je droomhuis!' riep hij en kuste haar.

Ze danste rond, zong een lied en hij rende de trappen op en af. Het was als in de reclame, zo'n gelukkig stel waarvan je denkt: die gaan het maken in het leven, ze durven het aan om hun droomhuis te kopen, hij draagt haar over de drempel, zij straalt van geluk, blijft er dan nog iets te wensen over?

Ze werkten alle vrije uren aan het schuren, plamuren, schilderen en behangen van alle kamers. Zelfs de kelder pakten ze aan. Alle stellingkasten trokken ze van de muur, ze vervingen ze door hardhouten planken, schilderden de muren, en binnen een paar jaar stond de hele kelder vol met wijn. Iedere kamer kreeg een eigen stijl, sfeerbehang, lampen, de trap lieten ze bekleden met rood tapijt. Haar blote voeten zakten altijd diep weg in het velours.

Boven de bank hingen ze een foto van hen samen, genomen op hun eerste gezamenlijke vakantie, op een bergtop. Ze staan er in de stralende zon, achter hen hoge witte bergen met sneeuw die glinsteren in het zonlicht. Olivia weet nog hoe trots ze waren dat ze de top hadden bereikt, hun voeten door en door koud omdat ze zich niet goed hadden voorbereid, en hongerig omdat het brood halverwege al op was. Toch kijken ze lachend de camera in, ze wilden de top bereiken. Nu lijkt hun lach eerder een grimas, nu ze weet dat hun liefde een farce werd, een mengeling van bedrog, eigenbelang en projectie.

Olivia laat haar hand van de muur glijden, loopt naar de bank en kijkt zichzelf in de ogen. Ze ziet dat haar gezicht daar nog glad is, geen rimpels bij de mond of ooghoeken, een stralende jonge frisse lach. Een onschuldige, onwetende blik. Ze kijkt naar hem, naar zijn gezicht dat ze zo goed kent, en bespeurt ook daar nog geen rimpels tussen zijn wenkbrauwen, nog geen diepe groef in zijn linkerwang. De tijd zit hun daar nog niet op de hielen.

Was dat het? Waren ze met het ouder worden onrustig geworden? Waren ze bang iets van het leven te missen? Hadden ze daarom oorlog gevoerd, uit angst? Werd niet iedere oorlog begonnen uit angst voor verlies, verlies van land, van mensen, van waarde, van macht? Maar wat hadden Daan en Olivia dan te verliezen? De liefde? Verloren ze uiteindelijk niet alleen van zichzelf? Waren ze naarstig op zoek gegaan naar iets nieuws, het onbekende, omdat ze meenden dat ze het daar wel zouden vinden? Het paradijselijke leven zou toch ergens moeten bestaan.

Al na een paar maanden bleek dat het droomhuis ook een nachtmerrie kon zijn. De ruzies stapelden zich in hoog tempo op. Ach, misschien moest ze eerlijk zijn: vanaf het moment dat hij haar over de drempel droeg, maakten ze al ruzie. Over zoiets onbenulligs als de kleur van het behang, de grootte van een lamp of waar in de woonkamer een stoel moest staan, bij het raam of naast de kachel. Het leek zo onbeduidend, ruziemaken over de plek van een stoel. Pas later bleek dat het exemplarisch was voor hoe ieder het eigen territorium trachtte te bewaken.

Hoe laat is het? Ze kijkt op haar horloge, negen uur. Waar zou hij vanavond slapen? Zou hij het niet koud hebben?

# D.

Olivia zou hem al lang hebben gewezen op de zilverachtige glans van de bladeren aan de bomen. De eerste keer dat ze naast hem in de auto zat wees ze hem op alle bijzonderheden langs de weg, niets ontging haar. Een haas in het weiland, een koe die als enige op de grond lag te midden van haar staande soortgenoten, een vogel op een lantaarnpaal. Hij had er toen nauwelijks oog voor, hij keek alleen naar haar. O, ze was zo'n schoonheid, donkerbruine krullen springend om haar gezicht, lange vingers, gevijlde nagels, licht opgemaakt, haar borsten vol en rond en haar tred was altijd opgewekt. Die lichtheid droeg ze overal met zich mee. Als ze wakker werd, was er altijd een glimlach. Hij had haar in al die jaren nooit op een ochtendhumeur kunnen betrappen. De wekker ging en Olivia stond op, klaar voor de nieuwe dag. In de beginjaren draaide ze zich nog naar hem om, kuste hem in het gezicht, op de rug of waar ze hem maar raken kon, en stapte dan het bed uit. Later kuste ze hem niet meer, en toch had ze nog altijd die lichte tred, een beetje verend, het deed hem soms denken aan een hertje dartelend over het veld, maar niet schichtig, nee, vol vertrouwen. Soms stal hij een kus in het voorbijgaan als ze met een handdoek op haar hoofd uit de douche kwam. Even legde ze dan haar hand op zijn wang, keek hem aan en glimlachte.

Het is alsof hij die hand nu kan voelen, op zijn wang, hij legt zijn eigen hand erop maar wordt direct wrevelig. Hij schudt zijn hoofd en de zachte aanraking verandert in een mep. Hij slaat zichzelf tegen zijn wang. Waarom denkt hij nu aan haar zachte hand?

Hij moet zich richten op de hel, op de kwelling die ze was. Op de momenten dat ze boos thuiskwam, boos omdat het eten nog niet klaar was, boos omdat hij zijn telefoon niet had opgenomen, boos omdat hij niet mee wilde naar een of ander feestje, boos omdat hij zijn schoenen bij de trap had laten slingeren, boos omdat de druiven nog niet waren gesnoeid. Maar hij zag haar gezicht door de druivenbladeren heen, twinkelende ogen en volle rode lippen. Lippen die hij eindeloos had beroerd, gelikt, gebeten, een keer tot bloedens toe, omdat hij zo'n wellust had gevoeld haar te veroveren, een wellust die hij voor geen enkele andere vrouw kende, hij wilde Olivia tot op het bot. En toch was daar een einde aan gekomen. Niet abrupt, nee, het sleet, zoals een spijkerbroek slijt en je je – als het eerste gat erin valt – ineens herinnert dat je hem ooit nieuw kocht, strak, zonder slijtage. Dan besef je hoe oud hij eigenlijk is. Misschien was de liefde voor Olivia te oud geworden?

Toch had het moment van vertrek hem overvallen. In een opwelling was hij van tafel opgestaan, hij wist onmiddellijk dat hij zou gaan, dat hij niet zou terugkeren, maar werkelijk de straat uit zou rijden. Zonder te weten waarheen.

Nu rijdt hij hier, bij maanlicht. Het is inmiddels vijf voor halftien. Anderhalf uur verstreken, negentig minuten, vijfduizendvierhonderd seconden.

# O.

Ze laat zich op de bank zakken en staart naar het flak-
kerende kaarslicht, ze weet niet hoe het is om in slaap
te vallen zonder zijn lijf naast zich. Natuurlijk, hij was
vaak genoeg weg geweest, meestal voor zaken. Dan
kuste hij haar in de deuropening voordat hij ging, in
zijn koffer zijn gestreken overhemden, zijn pantalon,
zijn deodorant, zijn tandenborstel en soms een boek.
In de kus was hij eigenlijk al vertrokken, alleen zijn lichaam was nog bij haar, bungelde onder het hoofd,
greep een tas in de hand, duwde een deurklink naar
beneden, zette een voet buiten de deur, boog een nek
voor een kus, duwde lippen naar voren, draaide het
hoofd alweer weg voordat de kus ontvangen was en
richtte zich op, zette de andere voet naar voren en liep
met het hoofd weg, zijn gedachten waren dan al lang
bij een of ander kantoor waar cijfers werden berekend,
waar deals werden gesloten, waar een optie werd genomen, waar een mogelijke toekomst werd uitgedacht
terwijl iedereen weet dat de toekomst niet uit te denken valt, maar een mens moet toch iets?

Wanneer zijn voeten in haast waren weggelopen,
bleef hij op de een of andere manier ook nog thuis. De
lege plek in bed was niet werkelijk leeg, hij zou er terugkeren. Het was zijn plek. Het huis ademde hem als
het ware in en uit. Dus kon ze in gedachten haar hand

uitstrekken en zijn ademhaling over haar vingers voelen, haar voeten tegen de zijne wriemelen, haar billen tegen zijn kruis wrijven in de wetenschap dat hij daar na enkele dagen weer zou liggen. Maar nu is alles anders. Misschien moet ze straks zijn bed afhalen, de lakens bij de was gooien?

Ze kan het bed in de logeerkamer opmaken. Frisse lakens over een klein eenpersoonsbed, het kussen opschudden, de dekens rechttrekken en zich opkrullen op haar linkerzij, zoals ze als kind sliep, de lakens tot aan haar kin, haar knuffel bij haar hoofd, de hand ertegenaan, de ogen sluiten, nog even in de knuffel knijpen, wachten op de laatste kus van haar moeder en zich dan overgeven aan de lange slaap. In het begin pasten ze nog wel met zijn tweeën in zo'n klein eenpersoonsbed, later ging dat niet meer. Toen wilden ze de armen en benen wijd kunnen uitstrekken, de ledematen wonnen het van de liefde.

Hoort ze een auto? Komt hij terug? Ze springt op van de bank, rent naar het raam en trekt de gordijnen open. Nee, het is de buurman.

Ze staart naar de parkeerplaats. Waarom rende ze? Is er toch nog een verlangen in haar, hoop? Ze rende toch echt. Wilde ze hem maar al te graag zien? Hoelang zal het duren voor ze gewend is aan de leegte, aan de afwezigheid van zijn lijf? Een jaar of twaalf, net zoveel als ze samen waren? Zal het zo lang duren? Of zal hij nooit helemaal uit haar verdwijnen, zoals ouders ook in je haarvaten blijven hangen? Als hij zo werkelijk terugkeert, wat zal ze dan doen? Hem de toegang weigeren? De deur op het nachtslot draaien? Of wijst ze hem de weg naar het logeerbed als een vreemde in zijn eigen huis? Of waren ze al langer vreemden? Sinds wanneer dan? Wanneer is die bevreemding ingetreden? Op die dag dat ze zwijgend door het bos wandelden? Toen het blad uit de bomen dwarrelde en de wind guur om hen heen blies? Of op die zomerse middag, toen ze allebei het water in doken maar elkaar niet opzochten en ze zich ieder op hun eigen handdoek lieten opdrogen? Of toen hij weigerde haar de jam aan te geven omdat hij vond dat ze er zelf wel bij kon? Of toen hij geïrriteerd haar tandenborstel op de grond smeet omdat ze hem weer op zijn plek had gelegd zonder af te spoelen en er nu witte tandpasta-vlekken op de wastafel zaten? Of die keer dat hij een scheet liet zonder zich te excuseren? Of toen ze vergat de deur dicht te doen terwijl ze aan het plassen was? Wanneer, o wanneer zette de kentering in? Of gebeurde het al op de eerste dag, toen ze elkaar voor het eerst zagen, was toen al het begin van het einde ingezet? Maar waar dan? Waar had ze het kunnen keren?

Ze loopt naar de kaars en blaast hem uit, doe het met een kaarsendover, dan is de walm minder, hoort ze hem zeggen. Ze glimlacht, nu doet ze het op haar manier, toch hoort ze hem nog.

Ze snuift de kaarsgeur op en voelt hoe de rook haar

longen vult. Dan loopt ze naar de keuken, gooit het water in haar glas weg, draait de kraan open en laat het glas opnieuw volstromen, ze kijkt hoe het glas gevuld raakt, ze trekt het niet terug, het water golft over haar vingers, haar handen. Ze haalt diep adem en zucht. Er zijn geen tranen. Ze weet niet wanneer ze voor het laatst heeft gehuild. Misschien huilt ze te weinig, misschien hadden tranen haar kunnen redden. Ach! Houd op!

Waarom kan het hoofd niet even stil zijn! Waarom gaat het maar voort en voort! Ze draait de kraan uit, giet het water voor de helft uit het glas en gaat aan de keukentafel zitten, ze schuift de borden die er nog altijd staan opzij, en zet haar glas neer. Waar zou dit water zijn geweest? Misschien heeft het gesprankeld in een bergbeekje, heeft er een vis doorheen gezwommen of een kind met haar handje doorheen gewaaierd of is het een stortbui geweest die op de daken van een huis kletterde.

Ze neemt een slok, laat het water in haar mond liggen, proeft de smaak en slikt het dan door, maakt een kleine bergbeek in haar eigen lijf.

# D.

Het is lang geleden dat hij aan zee was, de laatste keer zal met Olivia geweest zijn, in de hete zomer van een paar jaar geleden, toen de dagen maar niet wilden koelen en ze vaak laat in de avond nog de zeebries opzochten. Er was niet veel wat hij de laatste jaren zonder Olivia had gedaan, behalve zijn werk. Zijn leven bestond uit werken en bij Olivia zijn. Aanvankelijk deed hij niets liever, telde hij de uren op zijn werk tot hij weer bij haar was, hij liet geen minuut voorbijgaan om niet in haar nabijheid te verkeren, ze hoefde niet eens iets te zeggen, als hij maar wist dat ze in de buurt was. Later begon het hem te benauwen, hij vroeg zich af of ieder liefdespaar zich zo met elkaar bezighield. Was het misschien iets ziekelijks? Waarom ging hij nooit meer alleen op pad? Of deed hij dat daarvoor ook niet echt? Olivia zag haar vriendinnen wel, ging met ze uit eten of weekendjes weg. Hij zat te wachten tot ze terugkwam, ging naar een film of las een boek. Het leven zonder Olivia leek geen glans te hebben, alsof het maanlicht eruit verdwenen was. En nu heeft hij haar zelf verwijderd uit zijn bestaan. Zal hij standhouden? Kan hij wel zonder haar? Weet hij wie hij is zonder zijn vrouw? En als hij dat niet weet, als hij niet weet wie hij zonder Olivia is, bestaat hij, Daan Heraud, dan wel?

Hij schudt zijn hoofd, een vreemde gedachte, het niet-bestaan van Daan Heraud. Toch laat de gedachte hem niet los, integendeel, ze lijkt zich te herhalen als een ritmische cadans zoals een trein over de rails dendert, het niet-bestaan van Daan Heraud, het niet-bestaan van Daan Heraud, het niet-bestaan van Daan Heraud, het niet-bestaan van Daan Heraud. De gedachte lijkt helemaal bezit van hem te nemen, alsof hij niet Daan is die in de auto zit, maar een andere man en dat hij naar die man kijkt, op een afstandje, de man die meent het leven voor elkaar te hebben, zakenman, man van de cijfers, welvarend, modern, eigenzinnig en op het punt om een nieuwe koers te varen, weg van zijn vrouw. Het is vreemd om zo naar zichzelf te kijken, zichzelf van een afstand te zien, en waar hij eerst het ideale plaatje van de succesvolle Daan Heraud zag, neemt hij nu ook de vermoeidheid in het gezicht van de man waar, de wallen onder zijn ogen, de diepe groeven bij zijn mondhoeken, het nerveuze gebaar van zijn hand die door zijn haren strijkt.

Plotseling is hij weer terug in zichzelf en kijkt door de autoruit naar buiten. Hij betast zijn wang die hij zo-even nog heeft geslagen, of heeft hij dat niet gedaan?

Hij staart in het donker voor zijn autoruit. Daar ligt het, zijn toekomst, maar wat die is, hij heeft geen idee. Hij draait aan het stuur, geeft een beetje gas bij. De duisternis lijkt op een enorme holte, een grote nietszeggende leegte die hem aanstaart, hij probeert zijn blik ergens anders op te richten, de kilometerteller, het stuur, de lichtjes van de radio, maar het lukt niet. De donkere nacht lijkt hem naar buiten te zuigen, hij wordt zelfs langzaam over het stuur getrokken, dwars door de voorruit heen, kan dit?, ja blijkbaar, het kan, denkt hij nog, hij doet een poging om het tegen te gaan, maait met zijn armen heen en weer, probeert het stuur te grijpen maar hij vindt nergens houvast, hij schreeuwt maar hoort zijn stem niet omdat er geen weerklank is, er weerkaatst niets in de donkere holte waar hij nu volledig in is gezogen, hij probeert achterom te kijken, naar de auto, daar waar hij zonet zat, of waar hij nu toch nog steeds moet zitten?, toch?, waar is hij?, hij spartelt met zijn armen en benen, als een vis op het droge die nog enkele minuten zijn kieuwen zal bewegen maar vervolgens sterft aan een gebrek aan water, het donker benauwt hem, hij voelt hoe hij naar adem hapt, ergens in de verte ziet hij licht opvlammen, hij kan niet goed zien wat het is, hij wil zijn armen ernaar uitstrekken als hij plotseling wordt teruggesmeten in zijn autostoel. Zijn rug klapt tegen de leuning, zijn hoofd tegen de steun.

Verschrikt opent hij zijn ogen. Waar was hij? Waar ís hij?

Hij hoort luid getoeter. Een vrachtwagen kan hem nog net ontwijken.

Hij kijkt naar het dashboard. Hij staat stil! Midden op de snelweg stil!

Snel trapt hij het gaspedaal in, zet zijn handen aan het stuur en maakt vaart. Hij trekt in enkele seconden op tot honderdvijftig kilometer per uur.

Zijn hart bonst in zijn keel, een bonkend hart is het echte leven, Daan! Olivia weer. Weer getoeter, wat is er aan de hand? Hij heeft zijn lichten uit, hoe kan dat? Wanneer heeft hij die uitgedaan? Wat gebeurde er? Hij probeert een auto in te halen, linkerknipperlicht, achteromkijken, hij stuurt de auto naar links, dan wordt er opnieuw hard getoeterd, net op tijd draait hij de auto terug naar de rechterstrook. Luid claxonnerend rijdt een motor hem voorbij.

Dit is hem nog nooit overkomen. Hij veegt zijn handen af aan zijn broek, maar prompt zijn ze weer nat van het zweet. Ik moet tot rust komen, denkt Daan, dit kan niet, dit kan echt niet. Voor het eerst in zijn leven stuurt hij de auto rechts de weg af en komt tot stilstand op de vluchtstrook.

'Je kunt niet zonder mij, je denkt dat je dat kunt, maar dat is niet zo. Zonder mij word je gek. Ik geef jouw leven ritme, structuur, zonder mij weet je niet wat je moet doen. Ik zeg het je, je houdt het niet lang vol zonder mij, hooguit een paar uurtjes! Ga maar, hoor, als je wilt, ga maar!' De standaardwoorden die ze de laatste tijd bij iedere ruzie schreeuwde, en dan ging hij, om daarna altijd terug te keren.

Had ze gelijk gehad, hoelang was hij weg? Twee uur en vijfentwintig minuten. Wanneer was hij afge-

dreven, wanneer had het donker hem te pakken gekregen? Werkelijk na twee uur? Dat kon toch niet?
Hij had haar altijd uitgelachen, zonder haar had hij
ook bestaan, zonder haar had hij ook geleefd. Werd
het tegendeel nu bewezen, was dat zojuist gebeurd?
Had hij werkelijk stilgestaan op de snelweg? Wat had
hem bezield? Had hij eerst naar zichzelf gekeken en
was hij toen door de voorruit gekropen? Daan steekt
zijn handen uit en betast de voorruit, hij schrikt van
zijn eigen handeling, hij twijfelt er nog aan ook.

Dit is krankzinnig. Was het verantwoord om door
te rijden? Wat als het hem weer overkwam? Wat had
zijn geest nog meer voor hem in petto? Hij droogt het
natte stuur af met zijn overhemd.

Is dit een uitnodiging om echt te gaan leven? Om
de plannen te laten voor wat ze zijn? Moet hij de auto
achterlaten en verder lopen? Nee, hij wil naar zee. Hij
zal gaan ook. Er is niets wat hem tegenhoudt.

Daan draait het dakraam open en laat frisse lucht
naar binnen waaien. Hij aarzelt nog even maar haalt
dan diep adem, start de auto en geeft zachtjes gas. Als
hij genoeg vaart heeft, draait hij de snelweg op.

Het stuur wordt opnieuw nat van zijn zweet. Angstzweet, denkt Daan, angstzweet stinkt. 'De meeste mensen geven zich vol vertrouwen over aan mijn handen,
Daan, maar sommige zijn zo bang, dat de hele opera-
tiekamer stinkt naar hun zweet.' Daan ruikt onder zijn
oksels, ja, daar ook, hij stinkt. Hij zou Olivia kunnen

bellen om te vertellen dat ze gelijk heeft. Het stinkt.

Als het maar niet nog een keer gebeurt. Hij weet niet of hij dan weer tijdig wordt teruggezet in zijn stoel.

# O.

Ze kijkt naar het serviesgoed dat op tafel staat, de glazen, de borden, het bestek, ze heeft niets opgeruimd sinds zijn vertrek, zelfs het brood ligt er nog, de pan met soep staat braaf te wachten, met de deksel er nog op, de soep zal wel koud zijn, ze wil net haar hand uitstrekken om de pan te voelen als ze geluiden hoort. Voetstappen? Ze vliegt op, trekt de deur open en kijkt het tuinpad af.

Nee, niets. Ze loopt naar het hekje en tuurt de lege straat in, de buurman die net de voordeur opent, hij was het dus weer, steekt zijn hand op, ze brengt haar arm omhoog en wuift terug, ze draait zich meteen om. Ze heeft geen zin in een gesprekje over het weer of wat er in het dorp gebeurt.

In de beginjaren woonde ze nagenoeg alleen in de wijk, hun huis was omgeven met bouwkavels. Het had hun het idee gegeven dat het voor altijd zo zou blijven, dat ze altijd de ganzen in de wei zouden zien landen of de uil konden horen roepen in de nacht. Maar na een paar jaar waren de bouwkavels verkocht en verrezen er al snel kleine paleisjes waar mensen een nieuw bestaan vormgaven. Olivia en Daan hadden niet lang geaarzeld, ze hadden een schutting om de tuin heen gebouwd zodat ze de illusie van 'alleen op de wereld in de weilanden' hoog konden houden.

Olivia bukt en trekt een paar polletjes gras tussen de tuintegels uit. Misschien had die illusie hen verstikt. Het gras geeft niet gemakkelijk op, zit vast met stevige wortels, ze buigt door de knieën en trekt nu met twee handen aan de graspol. Ze valt haast achterover als het eindelijk loslaat. Ze gooit het gras in de border tussen de rozen.

Ze hield van hem als hij koffie dronk.

Zijn hand die reikt naar de koffie, hij strekt hem, vouwt zijn vingers om het kopje, laat ze daarop rusten, brengt dan het kopje naar zijn lippen, ademt de geur van koffie in, sluit heel even zijn ogen, nipt, opent zijn ogen, kijkt haar aan, een kleine glinstering in zijn pupillen, mmm, lekker, en dan een diepe zucht.

Ze haatte hem als hij koffie dronk.

Dezelfde gevoelens in hetzelfde gebaar. Waar zijn lippen op het aardewerk haar de ene keer ontroerden, haar voorover wilde doen buigen om hem te kussen, wilde ze het andere moment het kopje voor zijn mond wegslaan, met bruut geweld, het zou haar niets uitmaken als hij zijn lippen zou verbranden.

47

Geweld school er in haar. Gruwelijk geweld. De scheidslijn tussen de vredelievende en de haatdragende is flinterdun, het is een stap naar links of een stap naar rechts. En wat precies iemand de stap een bepaalde richting op laat zetten is onbekend. Olivia koos steeds voor de vredelievende, hoewel haar blikken misschien vaak net zo pijnlijk zijn als een kaakslag.

Misschien was er als hij was gebleven wel een moment gekomen dat ze niet meer had kunnen kiezen, dat het geweld bezit van haar had genomen en dat ze hem over de keukentafel heen had getrokken, hem had vastgebonden met spanbanden uit de schuur en hem zonder verdoving deskundig had opengesneden om te kijken of zijn hart wel klopte, om te zien waar zijn haat, zijn liefde, zijn angst en zijn woede huisden. Misschien was haar weerzin wel zo groot geworden dat ze hem niet eens had laten leven, dat ze hem zachtjes had laten doodbloeden op de keukentafel met hier en daar een schaaltje om het bloed in op te vangen. Nee, dat laatste toch niet, dat zou te gruwelijk zijn, maar ze dacht het nu wel, en als ze het dacht, was het ook mogelijk om het uit te voeren, dan was er een mogelijkheid dat het werkelijkheid zou worden. Of zou hij net op tijd naar haar hebben gelachen, het juiste hebben gezegd of haar even door het haar hebben gestreeld zodat hij haar zonder dat hij het wist voor een gruwelijke daad had behoed?

Dat moeten dan wel geluksmomenten zijn geweest.

Want wat waren er veel dagen dat ze verlangde naar een beetje liefde in zijn blik, het was soms alsof er alleen nog maar haat in hem woonde, alsof iedere blik die hij naar haar wierp doordrongen was van ergernis, afkeuring, minachting en haat, pure haat. Ze had lange tijd haar ogen gesloten omdat ze het niet wilde zien, omdat ze niet kon begrijpen dat twee mensen die ooit uit liefde waren begonnen elkaar zo konden gaan haten. Toen ze eindelijk het lef had om in zijn ogen te kijken, had ze spijt, maar het was al te laat. Zijn haat deed haar verkrampen, ze bevroor.

Staat ze nog steeds op het tuinpad? Waarom? Wat doet ze eigenlijk hier?

O, ja, ze dacht dat hij zou komen.

Ze zucht diep, loopt de tuin in en gaat op het bankje zitten. Ze voelt plotseling hoe moe ze eigenlijk is, van de strijd, van het volharden in wat ze dachten dat ze moesten zijn. Een gelukkig paar.

Waar zou hij nu zijn?

Ze moet niet te laat gaan slapen. Morgenochtend moet ze fit en alert zijn en weten wat ze doet, in opperste paraatheid zijn om patiënten te genezen van hun kwaal, hun pijn letterlijk wegsnijden.

Haar ongemak valt niet weg te snijden. Ze weet ook niet waar het zich bevindt. Ze kent het menselijk lichaam, weet hoe het functioneert, waar de lever voor is, de alvleesklier, de nieren, hoe de milt zijn werk doet, de slokdarm, de pijnappelklier, de longen. Ze weet werkelijk alles, maar ze weet niet wanneer haar tranen wellen, ze weet hoe haar hart klopt, maar ze weet niet wat haar hart zoekt, waar het heen wil.

Als hij zo werkelijk het tuinpad op zou komen lopen, wat zou ze dan voelen? Haat of liefde? En zou ze hem omhelzen of tegen de vlakte werpen om hem met een mes te bewerken?

# *D.*

Niemand zou hem geloven als hij zou vertellen wat er was gebeurd. Behalve Olivia, die had hem tenslotte voorspeld dat hij het niet zou redden zonder haar. Wat een volslagen onzin! Dat hij haar woorden zelfs nu nog serieus neemt!

Daan voelt weer woede opkomen, hij geeft gas. Het was niets, een teken van vermoeidheid. Hij veegt zijn handen droog aan zijn broek, strijkt door zijn haren en richt zijn blik strak naar voren. Hij had zijn oude buurman om raad kunnen vragen als die nog had geleefd, die had hem waarschijnlijk verteld dat er niets met hem aan de hand was. Tenminste, daar ging Daan van uit. Die buurman, die was ook krankzinnig, maar hij leefde wel. Maar zo gek worden als zijn buurman, nee, dat was geen optie, ook al was Daan nog zo dol op hem geweest. Hij kleedde zich in lange blauwe stofjassen en sleepte altijd een rieten mand met zich mee waarin hij allerlei plantjes stopte die hij onderweg tegenkwam, plantjes die hij nog niet had in zijn tuin, zo beweerde hij. Maar als je dan bij hem op bezoek kwam, lag er achter in de tuin een berg uitgedroogde plantjes. 'O, die,' zei hij als Daan ernaar vroeg, 'die komen wel weer tot leven als ik er een beetje water bij doe.' De hele dag was de man in de weer met zijn planten, de gang stond vol met emmers, potjes en schaaltjes, met een half uitgedroogd of verzopen plantje erin. Heel soms, en daar stond hij zelf ook met verbazing naar te kijken, kwam er een tot leven en verscheen er zelfs een bloemetje. 'Kijk,' zei hij dan, 'die heb ik van de dood gered.' Was dat het? Was Daan net gered van de dood? Had iemand hem teruggeduwd in de stoel omdat het zijn tijd nog niet was? Daan Heraud! Houd op met deze gedachten! 'Iedereen heeft zijn eigen tijd, echt, ik heb jonge mensen zien sterven, oude zien gaan, en er is geen reden voor, geen enkele rechtvaardige reden, die zal er voor ons ook niet zijn, Daan, voor ons ook niet. Het enige wat we moeten doen is van elkaar houden.' En dan kuste ze hem, zo innig dat hij haar wel fijn kon knijpen. Maar dat was in het begin, toen het nog anders was.

Behalve Daan kwam er nooit iemand bij de buurman. Hij had het universum, riep de man als Daan vroeg of hij de mensen niet miste. De maan, de sterren, de zon: ze waren er voor hem en zijn planten. Iedere ochtend stond hij vroeg op, dankte de zon en ging aan het werk. Zinloos werk noemde iedereen het. Hij lachte de mensen uit, hij vond het bestaan van de ander zinlozer, ze moesten eens weten, fluisterde hij wel eens in Daans oor, ze moesten eens weten wat het belang van een enkel levend plantje was. En dan tilde hij een halfdood plantje zo liefdevol op, zo teder. Misschien hadden al die plantjes hém wel gered van een vroegtijdige dood, omdat hij moest blijven leven om voor ze te zorgen. Toch bezweek de buurman op een dag, hij werd op straat gevonden met een plastic zak in zijn hand waarin een paar dode plantjes zaten. Het huis stond jaren te koop. Uiteindelijk werd het voor een schijntje verkocht. De nieuwe eigenaars walsten de hele tuin in één keer plat. Het huis werd met de grond gelijk gemaakt en er verrees een nieuwbouwwoning met strakke kale muren. Er was nog geen bloemetje te vinden. Ze hadden alleen wel verdomd veel last van onkruid, ze hadden allerlei agressieve middelen geprobeerd, maar het groeide dwars door de stenen heen, klaagde de nieuwe buurvrouw.

'Het onkruid bij de buren,' wist een overbuurvrouw Daan mee te delen als hij soms verwonderd naar al het groen keek dat zich door de betonnaden heen worstelde, 'is de ziel van de oude man die niet kan rusten voordat hij dat hele steriele kille huis bezaaid heeft met distels, boterbloemen, madeliefjes, sint-janskruid, klaver, zuring en paardenbloemen.' Daan had nooit geloofd in zielen en ook toen wist hij niet wat hij ervan moest denken, maar het was een feit dat de nieuwe buren na drie jaar ploeteren tegen het groen overspannen en tot gekte gedreven vertrokken naar een appartement op de hoogste verdieping van een flatgebouw. De woning stond daarna jarenlang leeg en de oude buurman kreeg zijn zin. De hele tuin werd overwoekerd, inclusief het dakterras op de derde verdieping en de ooit kaalgespoten witte tegels van de oprit. In de zomer was het een drukte van belang. Bijen, vogels, muggen, vliegen, wespen, libellen: alles vloog af en aan. Ze deden zich te goed aan het onkruid en ergens zal die oude ziel toch in zijn vuistje hebben zitten lachen. Het had zin gehad, zijn leven had zin gehad. Hij had iets toegevoegd, iets groens, iets levends, iets wat ertoe deed.

Uiteindelijk werd het huis verkocht aan een stel met jonge kinderen. Ze hakten kale plekken in de bosschage en maakten er hutten van, zonder de bijen en de vogels te storen. Ze haalden alle stoeptegels rondom het huis weg en zaaiden een keur aan bloemen. De oude ziel kon rusten. Ach, waarom denkt Daan daar nu aan?

Als hij straks bij zee is, moet hij misschien eerst even slapen.

# O.

Misschien voelt ze wel niets als ze hem ziet. Misschien voelt ze al heel lang niets. Ze knijpt in haar arm, de nagels laten een afdruk achter. Dat doet pijn. Haar lijf voelt dus nog wel. Ze knijpt nogmaals, nu wat harder. Als ze zou willen zou ze zo haar huid tot bloedens toe kunnen knijpen, of bijten, misschien werkt dat zelfs beter. Ze buigt haar hoofd en wil haar tanden in haar arm zetten, pas dan realiseert ze zich hoe belachelijk het is, in haar arm bijten om te weten of ze nog voelt. Ze heft haar hoofd en kijkt de lucht in, waar is ze mee bezig? Ze schopt een steen weg, de steen vliegt de tuin door en ketst af op de muur. Ze staat op, schudt haar hoofd, trapt nog een steen weg, deze keer ketst hij tegen de ruit, gelukkig net geen ster.

Kom op! Ze moet wakker worden, zichzelf tot de orde roepen! Olivia Coebergh, kom tot bezinnen!

Ze rent weg, terug het huis in, naar de gang, daar hangt de spiegel, de spiegel die Daan zo zorgvuldig heeft opgehangen, hangt hij zo recht? Nog iets naar links, of wil je hem liever hoger, nu kan het nog, zo goed? Of toch op een andere plek, aan het einde van de gang, nee, hier is het goed! Dat zei ik toch! Hij boort een diep gat, duwt een haak erin, en daar hangt de spiegel die ze op een rommelmarktje vond, met gouden rand, zo'n spiegel die je alleen vindt als je geluk hebt, een uit de zeventiende eeuw, die steeds van hand tot hand is gegaan. Iedere keer als Olivia langs de spiegel liep vroeg ze zich af waar hij nog meer zou hebben gehangen, welke uitdrukkingen hij niet allemaal had gespiegeld, en welke mensen: notabelen, opgetutte dames, jonkvrouwen, wetenschappers, priesters? Nu rukt ze hem met schroef en al van de muur en houdt hem voor haar gezicht. Daar, daar is ze, en ook weer niet, want ze is het niet werkelijk, ze ziet zichzelf wel, maar wat ze ziet is ze niet echt, toch? Ogen, haren, wenkbrauwen, lippen, kaaklijn, wangen, neus, jukbeenderen, groef om haar mond, sproetjes op haar linkerwang, daar, dat is zij, of althans, zo ziet ze er nu uit, maar ik ben het niet, denkt ze, ik zie mezelf niet echt, ik zie mijn hart niet, mijn aderen niet, ik zie het bloed niet stromen, ik zie het niet, ik kan nooit zien wie ik werkelijk ben! In een opwelling smijt ze de spiegel tegen de vloer, hij breekt in tweeën, even staart ze verbouwereerd naar de gebroken spiegel, dan barst ze in lachen uit, hoe symbolisch, alles valt in tweeën, haar hele leven is verscheurd! Ze laat zich vallen en lacht, ze slaat zichzelf op de knieën, rolt over de grond, wat een grap, dit leven van haar, dit idiote leven van haar, waartoe of waarom, geen idee, maar het is een grote grap, er klopt niets van en toch is het haar leven! Ze voelt haar buik schudden van het samentrekken van de spieren, ze kan niet stoppen, als Daan haar zou horen! Wanneer heeft ze voor het laatst gelachen? Werkelijk gelachen?

Toen hij al lezend de trap op liep en vergat de laatste stap te zetten en zo met boek en al de gang in buitelde? Of toen een patiënt vlak voor zijn narcose vroeg waar de chirurg bleef en zij hem liefjes aankeek en zei: 'Die staat al de hele tijd voor u', en zijn ogen langzaam in opperste verwarring wegdraaiden omdat de anesthesist juist op dat moment de spuit in het infuus leegde? Of nee, toen Daan vergat dat hij een afspraak had en in paniek met zijn met modder besmeurde regenlaarzen de auto in stapte en zo bij de bankdirecteur binnenkwam. Toen, ja, toen hadden ze nog samen gelachen. Rollend van het lachen ligt ze tussen de scherven, tot haar blik in de gebroken spiegel valt, ze ziet haar iris, het zwarte rondje omrand met blauw, haar lach sterft weg, ze ligt stil, doodstil, haar oog, ze staart in haar oog, en zomaar ineens welt er een traan in haar ooghoek, een zachte volle traan, hij glijdt langs haar neus, blijft even hangen aan het puntje en valt vervolgens op de spiegel, het lijkt wel een meer, een meer van tranen, terwijl het maar één traan is, ze kijkt naar die volle traan, ze voelt hoe er nog een opwelt, gestaag, hij gaat dezelfde weg als zijn voorganger en plenst op de spiegel, het meer wordt weidser en dieper, ze ziet haar oog vertroebelen door de tranen op de spiegel, ze wacht en voelt hoe de volgende traan opkomt, ze blijft in de spiegel kijken en ziet ze vallen, daar vallen haar tranen op haar spiegelbeeld, en hoe meer tranen er landen, hoe minder ze zichzelf ziet, maar hoe meer ze zichzelf voelt. Als ze tenminste weet wat dat is. Maar misschien is dit het, dit gevoel van verder niets anders, geen denken, geen uitvlucht, geen andere mogelijkheid overwegen, alleen de tranen voelen stromen over haar wangen, haar spiegelbeeld zien vervagen en weten: dit ben ik, dit ben ik nu, wat ik morgen zal zijn weet ik niet, er is alleen dit allesomvattende, dit tijdsomspannende nu. Een tranenberg, geen dal, nee, geen dal, eerder een berg waar ze tegen op kan klimmen en op de top haar wanhoop kan overzien.

# D.

Waar blijft de afslag naar de strandwegen?

Hij wil van de snelweg af.

Daan voelt de spanning in zijn lichaam weer toenemen, hij trommelt met zijn vingers op het stuur, rustig blijven nu. Als hij zijn blik op de witte lijnen houdt, kan hem niets gebeuren, dan is er focus, dan kan zijn geest niet ontsnappen. Hij duwt het gaspedaal nog dieper in, de kilometerteller loopt op tot honderdzestig, hij rijdt altijd harder dan de maximaal toegestane snelheid, maar nu heeft hij een vreemd soort haast. Een haast om op een bestemming te komen zonder dat er iemand op hem wacht. Soms kijkt hij even opzij, naar de mensen die hij passeert. Zij weten gelukkig niet dat hij net met zijn handen de voorruit betastte om te controleren of hij erdoorheen was gegaan, zij zien een onberispelijk geklede man.

Hij velt altijd een oordeel over de mensen die hij ziet, nu twijfelt hij over zijn waarneming, hij is ervan doordrongen dat alles schijn kan zijn. Hij passeert een zwijgende man en vrouw, het lijkt onaangenaam hoe ze daar zitten, maar misschien kust de man zijn vrouw hartstochtelijk bij thuiskomst; hij ziet een jong stel dat zingend in de auto zit, de hand van het meisje ligt liefdevol in de nek van de jongen, of slaat de jongen haar straks venijnig in het gezicht?; hij ziet een gezin, pubers die op de achterbank verveeld naar schermen staren, vader heeft zijn hand bij zijn mond en kijkt bedenkelijk, overweegt hij zijn kinderen het huis uit te zetten?

Zelden passeert Daan mensen op de autoweg van wie hij blij wordt, die hem het gevoel geven dat ze met plezier op weg zijn. Als hij zulke mensen ziet, heeft hij altijd de neiging achter ze aan te rijden, te kijken waar ze naartoe gaan. Zoals die keer dat hij een vrouw zag zingen in de auto, ze hield haar notenschrift met de rechterhand vast, keek zo nu en dan op het papier en dan weer naar de weg. Wat zong ze? Waarvoor oefende ze? Was ze een operazangeres? Of juf van een kinderkoor? Ze had hem even aangekeken met een kleine glinstering in de ogen. Hij had resoluut zijn hoofd afgewend. Hij hield niet van flirten op de autoweg. Toch was ze de hele dag niet uit zijn hoofd verdwenen. Het beeld van de zingende vrouw was in hem gegroefd. Even had hij overwogen haar te volgen, maar hij had zich op tijd kunnen vermannen en de afslag naar zijn werk genomen.

Hij had Olivia niets verteld over de zingende vrouw. Hij vertelde haar altijd maar bitter weinig over zijn dag. Ze was ook nooit werkelijk geïnteresseerd in wat hij deed. Ze vroeg er wel naar, maar als hij dan een uiteenzetting wilde geven van de vele berekeningen die hij die dag had gemaakt, staarde ze naar buiten, bekeek haar nagels of stond plotseling op: even kijken of ik het gas wel heb uitgezet. Echt luisteren kon ze niet. Misschien alleen als er een patiënt voor haar lag en de anesthesist haar vertelde dat ze het mes erin kon zetten. Eén keer maakte ze een fout. Een cruciale fout. Ze amputeerde het verkeerde been. Zo'n klassieke misser; dat hij überhaupt bestond vond Daan al onbegrijpelijk, maar dat hij door zijn vrouw was uitgevoerd kon hij maar moeilijk verwerken. Olivia hield zich kranig. 'Fouten maken is menselijk.' Ze amputeerde later ook het andere been, zonder blikken of blozen. Dat die patiënt nog door haar geholpen wilde worden, kon Daan haast niet geloven. Hij had haar nooit verteld dat hij zich diep schaamde. Als hij haar al niet kon vergeven, wie dan wel? Zo ontdekte hij zijn egoïsme, zelfs als het zijn vrouw betrof. Hij begon zich af te vragen of hij haar wel zou redden als ze boven een ravijn hing, met de

auto te water was geraakt of door een leeuw werd aangevallen. Allemaal situaties die niet zo voor de hand lagen, aangezien ze niet van reizen hield, nooit langs het
water reed en er geen loslopende leeuwen waren, maar
toch. Hij moest tot zijn schrik bekennen dat hij niet zeker wist of hij zijn leven zou geven. Of hij het zou of-
feren voor het hare. Misschien was hij een lafaard of
misschien was hij het geslaagde product van de moderne beschaving, ieder gericht op het eigenbehoud, niemand geeft zich voor de gemeenschap, voor een groter
ideaal dan zichzelf, zelfs niet voor de liefde.

Hij kijkt over zijn linkerschouder, zet het knipperlicht aan en haalt een vrachtwagen in. Dit keer heeft
hij goed gekeken, het blijft stil, hij stuurt terug naar de
rechterbaan, ontspant zijn schouders en legt zijn linkerelleboog tegen het raam.

Hij heeft niets nodig uit het huis. Zelfs niet de
zwartleren fauteuil, die hij kocht van zijn eerste sa-
laris. Een grote uitgave waarover hij lang nadacht,
maar waarvan hij nooit spijt kreeg, de stoel vorm-
de zich door de jaren heen naar zijn lichaam, het was
zijn plek in de woonkamer, naast de kachel, een soort
hondenmand, had hij wel eens gekscherend geroepen.
Hij hoeft niets, helemaal niets, hij wil alleen zijn eigen
bankrekening, dan kan hij simpelweg opnieuw beginnen. Als hij tenminste ooit nog op zijn werk komt.

Misschien vertrekt hij nu wel uit zijn leven, trekt hij
de deur achter zijn leven dicht. Misschien is er niets zo

bevrijdend als verdwijnen. Wegtrekken en opnieuw beginnen. Zoals de nomaden vroeger leefden: je bent ergens, maar je blijft nergens. Als het tijd is ga je weer. Je laat je leiden door de sterren, de vogeltrek, de vissenstand, de vruchten aan de bomen of wat dan ook. Je zet je kamp op en je breekt het weer af omdat de mens niet voor niets twee benen heeft gekregen om te gaan. De kunst van het zwerven over de wereld, in het leven, niets vasthouden, voortdurend weer opstaan en verdergaan.

Ach, wat weet hij van de mens? Hij moet eerst zichzelf maar eens in bedwang zien te krijgen.

Wat zou Olivia nu doen? Zou ze morgen naar haar werk gaan? Vast. Ze zou haar patiënten niet in de steek laten, dat had ze zolang hij haar kende nog nooit gedaan. Of toch, op één dag na, toen ze door een buikgriep de hele dag moest overgeven. Hij had haar zwakte nauwelijks kunnen verdragen, hij bleef de hele dag in de tuin en kroop pas laat in de avond, toen ze allang sliep en de openstaande ramen de zure lucht van het braaksel hadden verdreven, naast haar in bed. Maandenlang moest hij horen hoe teleurgesteld ze in hem was dat hij haar zo had laten creperen zonder ook maar een vinger uit te steken. Hij durfde haar niet te vertellen hoezeer hij had gewalgd van de aanblik en het geluid van haar kokhalzen.

Hij weet niet of het nodig is dat ze elkaar weer zien. Kom, het mag nog wel harder, hij trapt het gaspedaal verder in. De motor ronkt. 'Daan! Waar zijn de auto-sleutels? Ik had ze op tafel gelegd!' Ze schreeuwt onder aan de trap. Hij ligt nog in bed en geeft geen antwoord, waarom zou hij? Het zijn haar sleutels. 'Daan!' Hij zwijgt. Nu komt het moment dat ze woedend de trap op stormt, tenzij ze de sleutels vindt, waarschijnlijk ergens op de hoek van het aanrecht. Dan zal ze zo roepen dat ze weg is. 'Ik ben weg!' Hij richt zich op en kijkt door het raam naar buiten. Ze stapt in de auto en vertrekt.

Op dat moment dacht Daan er voor het eerst over om te vertrekken. Maar hij aarzelde. Het leven leek er bij vrienden niet beter op te worden na hun scheiding. Ze hadden vrienden die elkaar helemaal hadden uitgekleed. Zelfs over het bestek hadden ze een strijd gevoerd. Alles moest verdeeld worden, eerlijk. Oorlogsvoering op de millimeter, oorlogsvoering op het terrein van de bestekbak. Als Daan het zich goed herinnert, kreeg *zij* uiteindelijk het dessertbestek en alle opscheplepels, *hij* de vorken, messen en eetlepels. Dus iedere keer dat hij een dessert eet, denkt hij aan haar en andersom, had Daan lachend tegen Olivia gezegd. En de eerste jaren, dacht Daan daar in zichzelf bij, fantaseert die vriend misschien alleen maar hoe hij haar gezicht met het bestek kan bewerken, daarna slijt de woede en streelt hij haar in gedachten met een mespunt in de hals, terwijl hij zich afvraagt of zijn tweede vrouw hem wel zoveel gelukkiger maakt. En zij schept de eerste dagen wellustig het bloed uit zijn aderen met de kleine dessertlepel of drinkt zijn bloed uit de sauskan die ze als troost voor de vorken, messen en eetlepels kreeg, om zich later af te vragen of haar jonge vriend wel opweegt tegen haar ex-man: een dikke buik en een kletsmajoor, maar nooit saai of flemerig. Zo zullen ze elkaar tot in de dood vervolgen, tenzij ze elkaar bij de geboorte van het eerste kleinkind van een afstand bekijken en bedenken dat ze het zo slecht nog niet hadden. En terwijl zij in de beschuit met muisjes hapt, geeft hij haar zomaar die oude vertrouwde knipoog.

Godzijdank hadden Olivia en hij geen kinderen. Maar ze hadden wel een verdomd mooie bestekbak!

Daan lacht hardop en slaat met zijn handen op het stuur. Olivia mag die hele klotebestekbak hebben.

# O.

Hoelang ligt ze hier al? Een uur of korter? Is ze in slaap gevallen boven de gebroken spiegel? Moet ze niet opstaan, zichzelf de trap op hijsen? Ze duwt zich op handen en knieën, kruipt door de gang, weet niet of ze huilt of lacht, snijdt er glas in haar huid? Is het verantwoord op handen en knieën over een gebroken spiegel te kruipen, doet het ertoe? Voelt ze tranen over haar wang stromen? Is dit een droom? Een nachtmerrie? Wordt ze wakker, en waaruit dan? Vooruit, voorzichtig, behoedzaam de trap op, ze kan niet meer lopen, ze sleept zich naar boven.

## D.

Een goede oorlog had hen misschien bij elkaar gehouden. Als er buiten strijd is, bindt het vanbinnen. Misschien waren ze dan iedere avond hand in hand in slaap gevallen omdat de vijand hen op de hielen zat en die warme hand van de ander moed gaf om door te gaan, om iedere ochtend weer op te staan en te hopen dat de vijand nog even weg zou blijven, de kogels hun huis voorbij zouden razen. Nu was de oorlog de relatie in geslopen met als enige doel te splijten wat eens heel was. Of had Daan zo'n ideaal beeld van de oorlog, geromantiseerd omdat hij werkelijk geen benul had van levensangst, honger en bedreiging? Misschien is het probleem van zijn generatie wel dat ze zichzelf tot vijand heeft gebombardeerd. Hij zit hier nu toch ook bang te zijn voor iets wat hij zelf is? Een gemoedstoestand die hem weer zou kunnen overvallen?

Hij moet ineens denken aan de woorden van zijn

wiskundeleraar, die zomaar op een middag toen Daan als laatste zijn tas inpakte tegen hem van wal stak: 'Zeg Daan, weet je dat alles valt te berekenen, dus ook wanneer je sterft, hoe groot je ziel is, waar je heen gaat, en wat er nog gebeurt in het leven? We weten alleen de rekensom nog niet, dat is het enige wat je te weten moet komen, de som van je leven, en als je die gevonden hebt, dan reken je hem uit. Er is echter een klein probleem: vaak weet je de som pas aan het einde van je leven en kun je alleen nog maar opnieuw berekenen of de uitkomst wel klopt. Vervelend voor degenen die erachter komen dat de uitkomst afwijkt van wat ze ooit dachten dat er achter het =-teken zou komen te staan, maar dat is dan weer, zo zouden de geleerden zeggen, een kwestie van interpretatie van de cijfers. Daar zou een timmerman het weer niet mee eens zijn, want die heeft zijn cijfers nodig om een huis te bouwen en begrijpt heel goed dat een cijfer wel degelijk een cijfer is dat hard is, een plank van zeven meter is echt een plank van zeven meter. Dus een leven dat de uitkomst is van een rekensom die je eigenlijk anders had willen maken, dat is echt een leven met die uitkomst. Kijk,' zei hij triomfantelijk, en hij draaide zich naar het schoolbord, 'een leven zou er ongeveer zo uit kunnen zien', en hij schreef onnoemlijk veel cijfers op het bord met ingewikkelde berekeningen en nieuwe onbegrijpelijke symbolen, 'en dit hier heeft een uitkomst, maar welke?', en hij lachte hard.

Wat was de uitkomst van het leven van Daan He-raud? Wilde hij dat wel weten? Misschien wilde hij wel niets weten, wilde hij niet eens weten of hij nog zou terugkeren naar Olivia, of hij het nog een kans zou geven.

## O.

Waar is ze? Is ze op de trap in slaap gevallen? Haar hoofd op een trede, haar knieën opgetrokken, nog een paar treden, kom, Olivia, kruip verder, de trap op, naar boven.

Ze kruipt door de gang, duwt de slaapkamerdeur open met haar hoofd, daar, het bed.

## D.

Pff, eindelijk, het schiet op nu, over tien minuten kan hij van de snelweg af en het achterland in rijden, de kleine weggetjes, op naar het strand. Volgens dezelf-de wiskundeleraar moest je een bepaalde mate van domheid hebben om met cijfers te kunnen goochelen. Die uitspraak begreep Daan lange tijd niet. Hij vond zichzelf verre van dom, meende juist dat hij bijzonder intelligent was met zijn hoge cijfers voor de exacte vakken. Tot de wiskundeleraar zich op een dag nader verklaarde: 'Kijk, het vraagt van een intelligent mens heel veel om zich niet voortdurend af te vragen waarom de zes nu eenmaal een zes heet, of waarom er nu een =-teken of x-teken bestaat, waarom het hele getallenstelsel überhaupt bestaat. Intelligente mensen stellen zichzelf voortdurend vragen en kunnen zeer gefrustreerd worden over getallen omdat die eigenlijk geen antwoord geven, wel binnen hun eigen systeem maar niet ten aanzien van hun bestaansrecht. Ze bestaan omdat ze bestaan en we werken ermee, en ze bewijzen zeker ook hun nut, maar daar is alles mee gezegd. Mensen die te veel waarde hechten aan het belang van cijfers, verliezen volledig hun realiteitszin. Dan verwijzen de cijfers naar geen enkele reële werkelijkheid meer, dan worden ze een gevaar, een groot gevaar. Voorkom dat je in die cijferhoek terechtkomt, er is vaak geen weg terug meer; eenmaal een foute berekening, en je komt nooit meer bij de juiste uitkomst, voor zover die bestaat. Ik ben niet zo slim, daarom leer ik jullie de magie van cijfers. Als ik slimmer was geweest, had ik hier niet gestaan, dan was ik ergens anders geweest en had ik de cijfers op een andere wijze van betekenis voorzien.'

Daan had beter dom kunnen blijven, volstrekt onwetend over de cijfers van financiële instellingen die nergens naar verwijzen maar toch bestaan. Knipperlicht naar rechts, achteromkijken, vaart minderen, hij slaat eindelijk de kleine wegen in, laat de snelweg achter zich. Op de een of andere manier vertraagt hij daarmee ook iets in zichzelf, de spierspanning in zijn benen, buik en rug neemt verder af en hij draait het stuur losjes door de bochten heen.

De wiskundeleraar meldde zich op een dag ziek en kwam niet meer terug. Een of andere agressieve kanker, werd er gezegd. Daan probeerde een rekensom voor hem te maken om te kijken of zijn leven wel klopte met de cijfers, hij goochelde eindeloos met zijn geboortedatum, plaatste overal =- en x-tekens en wat al niet meer, maar kwam niet tot een bevredigende conclusie. Pas toen hij een aantal jaren later hoorde dat hij gestorven was, leken de cijfers hun geheim prijs te geven. Er bleek een verband te bestaan tussen zijn geboortedatum, de datum van ziek worden en sterfdatum. Tenminste, dat wilde Daan toen graag geloven. De vrouw van de wiskundeleraar had er geen boodschap aan, ze stuurde hem een beleefd briefje terug nadat hij haar zijn berekening had opgestuurd. Daarin stond geschreven: 'Beste Daan, Wim heeft me nooit iets over je verteld, maar je zult ongetwijfeld een van zijn betere leerlingen zijn geweest. Hij zou je cijfers vast en zeker aandachtig hebben bestudeerd. Ik moet je helaas vertellen dat ik al zijn werk niet kon bewaren en onlangs naar het oud papier heb gebracht, inclusief zijn boeken. Hartelijke groet, Ina Verdonk.' Dat briefje hield hem toen dagenlang in de greep. Het trof Daan dat een leraar aan wie hij soms nog dagelijks dacht niets over hem aan zijn vrouw had verteld en dat zij op haar beurt al diens werk als oud papier had weggedaan. Hoe was het mogelijk! Al zijn werk! Iets wat een man zijn hele leven had opgebouwd, waar hij zo verknocht aan was, dat alles werd simpelweg tot afval bestempeld! Het leven leek opeens zo'n tijdvermaak, zo'n zinloze bezigheid, alsof ieder mens zich maar een beetje bezighoudt, waarna op het einde wordt gezegd: zo, we gooien alles weg.

Zou Olivia ook alles weggooien? De boeken in zijn studiekamer, zijn berekeningen, zijn anekdotes over getallen die hij ooit nog eens wilde publiceren om de wereld te tonen hoe onnadenkend getallen zijn? Zo eenvoudig zou het toch niet gaan? Zo simpel kon ze hem toch niet verwijderen uit haar bestaan?

Nog een paar bochten en dan heeft hij zicht op zee. Hij verlangt naar de eerste blik van de weidsheid, de eerste blik op het water die hem meestal onmiddellijk kalmeert. Waarom weet hij niet precies, misschien zijn het de ruimte en de leegte, de mogelijkheden die er aan de horizon lonken.

De laatste bocht, daar, eindelijk de zee!

Er glijdt een kleine glimlach om zijn lippen, hij is op de plaats van bestemming. Hij zoekt een parkeerplaats dicht bij het water, stapt uit en loopt naar de zee. Hij laat zich zakken op het zand, strekt zijn benen en kijkt naar boven, naar de sterrenhemel. Hij voelt voor het eerst hoe de sterren niet alleen buiten hem zijn, maar ook in hem doordringen, hem opladen, zich op de een of andere manier, hoe weet hij niet, in hem nestelen, zich aan zijn neutronen, moleculen en alles wat er door zijn lichaam heen raast, verbinden en hoe hij zo als het ware in beweging wordt gezet. Niet als een mens die de aarde als instrument onder zijn hoede heeft, maar als een mens die één is met de aarde en de sterren. Even vreest Daan dat hij de grenzen van het normale overschrijdt, dat deze gedachten hem leiden naar een bestaan waarin hij onmogelijk nog grenzen zal kunnen trekken tussen het een en het ander, maar al snel voelt hij hoe er een rust over hem heen daalt, hoe hij voor het eerst *niet* het gevoel heeft voortdurend het leven te moeten sturen en beheersen, hoe hij kan meedeinen op een groter geheel dat er al die tijd al was maar dat hij had buitengesloten, niet meer met zich meedroeg. Nu lijkt hij iets van dat geheel te ervaren, iets van het immense bestaan dat altijd blijft, zoals de plantjes van de oude buurman ook tot in de eeuwigheid hun zaad zullen verspreiden.

Daan tuurt over het kabbelende water van de zee. In de verte ziet hij de lichtjes van de boten. Hier zit hij nu. Gevlucht uit zijn eigen huis. Hij steekt zijn handen in het zand en maakt bergjes naast zijn schoenen.

Als zijn ogen bijna dichtvallen, staat hij op, loopt terug naar de auto, kijkt nog even op zijn mobiel of ze
hem niet alsnog een berichtje heeft gestuurd, maar er
zijn alleen wat telefoontjes van zijn werk. Het is mid-
dernacht, en de gekte heeft hem niet meer te grazen
genomen, denkt hij, het is vier uur geleden dat hij haar
verliet, dat is vier keer zestig minuten, tweehonderd-
veertig minuten, dat is veertienduizendvierhonderd
seconden.

Hij opent de achterklep van zijn auto, vist de deken
eruit, installeert zich op de achterbank, vouwt zijn jas
als kussen onder zijn hoofd en valt in slaap.

# O.

Heel even lijkt er niets veranderd te zijn, alsof hij op
reis is. Olivia draait zich om, nestelt zich in de deken
en rekt zich langzaam uit, om zich plotseling te reali-
seren dat hij er helemaal niet meer is, dat hij vertrokken is, ze verstijft, er trekt een koude rilling door haar
heen. Ze opent haar ogen en ziet dat ze aan zijn kant
van het bed in slaap is gevallen, een oude gewoonte, blijkbaar zocht haar lichaam de vertrouwdheid. Ze
weet even niet wat ze moet doen, zal ze snel op haar
eigen helft gaan liggen? Of is een vlucht uit zijn kant

van het bed voor niemand die haar ziet stompzinnig, vlucht ze dan voor een beeld van zichzelf dat ze niet wil zien? Ze wrijft over haar gezicht, woelt met haar handen door haar haren, niet wetende wat te doen, haar knieën doen pijn, de spiegel, ja, de spiegel, is ze gisteravond werkelijk door het glas naar boven gekropen? Ze duwt de deken van zich af en schrikt, bloed, overal bloed op de matras, het laken. Ze kijkt naar beneden en ziet meteen dat er glassplinters in haar knieen zitten, over haar onderbenen lopen straaltjes geronnen bloed, hoe is het mogelijk dat ze zo is gaan slapen, ze kijkt met verbazing en verwondering naar het opgedroogde bloed, de rode vlekken in het witte bed. Ze herinnert zich haar tranen, haar tranen boven de gebroken spiegel. Ze betast haar ogen, droog. Eigenlijk zou ze nu uit bed moeten gaan, de splinters snel en deskundig verwijderen maar ze doet het niet, ze blijft liggen, ze weet niet of ze zich werkelijk door hem wil laten omhullen, maar ze wil zich hullen in het bekende. En dit kent ze, deze geur, deze kuil in de matras, de ronding van zijn lichaam, ze kan hem haast naast zich voelen liggen, zijn borstkas tegen haar borsten, zijn benen in de hare verstrengeld. Wat is dit voor pijn? Een vorm van rouw? Het vastklampen aan iets wat niet meer bestaat?

Ze drukt haar neus in zijn kussen, ruikt en zucht. Zijn lichaam tegen het hare, zijn handen over haar rug, haar benen, zijn lippen die langzaam over haar borsten glijden, ze grijpt in zijn haren, kneedt zijn schouderbladen, kust hem in zijn nek. Dan vouwt hij zijn handen om haar hoofd, kijkt haar aan, laat haar haren om haar gezicht vallen en kust haar, zacht op de wang, zachte warme lippen. De pijn in haar knieën neemt toe, alsof ze bijkomt uit een verdoving.

Ze slaat de deken weg en staat op, loopt zo goed en kwaad als het gaat naar de badkamer en pakt een pincet. Voorzichtig en behoedzaam trekt ze alle kleine glassplinters eruit. Het begint onmiddellijk zachtjes te bloeden. Ze stelpt het met wc-papier. Als alle splinters eruit zijn, het zijn er zeventien, stapt ze onder de douche en laat ze het water op zich neerkletteren.

Hij was de enige die haar tijdens het vrijen kon laten huilen. Niet altijd, maar zo nu en dan. En niet van verdriet, zeker niet, van liefde, van geluk, van het gevoel verbonden te zijn. Misschien is er niemand meer die haar zal laten huilen, misschien had ze hem niet moeten laten vertrekken. Waarom huilde ze gisteren? Ze wilde zelf toch ook dat hij ging? Of toch niet, had ze hem voor de toekomst willen behouden?

Ze wast haar haren zoals ze dat iedere ochtend doet: flacon oppakken, shampoo in haar rechterhandpalm spuiten, haar haren tot schuim wrijven en uitspoelen, de waterstraal nog even over haar hoofd en rug laten stromen, diep inademen, even nog niet denken aan de dag die voor haar ligt en alleen het genot van het water voelen, dat van haar rug over haar benen stroomt en langs haar voeten verdwijnt. Dan droogt ze zich af, poetst haar tanden, plakt pleisters op haar knieën, haalt het bed af en gooit de bebloede lakens in de was.

Hup, nu, terug naar het normale leven, aan het werk!

Ze trekt een paar kleren uit de kast, brengt in haast een vleugje make-up aan, graait een appel van de schaal en wil zich naar haar werk haasten. Maar als ze met de jas aan en de deurklink in de hand staat, over-valt haar weer dat gevoel, gevoel van pijn, van verdriet.

Hij is niet dood, maar hij is er niet.

Hij is weggegaan.

Ze voelt hoe haar handen beginnen te trillen, hoe er tranen achter haar ogen branden, terwijl ze jaren-lang niet huilde, geen enkele traan liet, en nu voor de tweede keer, ze probeert ze tegen te houden maar het lukt niet. De eerste tranen druppen over haar wangen naar beneden.

Ze weet niet of ze de verantwoordelijkheid kan dragen voor het dichtnaaien van buiken, levers, maag-wanden en wat er al niet meer op het programma staat voor vandaag. Ze weet niet of ze de steken in de juis-te volgorde kan zetten, ze weet niet of ze terloops wat gereedschap zal achterlaten in een lichaam, ze weet niet of ze de juiste instructies kan geven aan al haar assistenten. Ze weet niet of ze een goede chirurg kan zijn vandaag. Ze staat niet in voor de gevolgen als de pijn haar weer overmeestert.

Ze staart vertwijfeld naar de tuin. De bladeren van

de eikenboom lichten op in de ochtendschemer. Er hipt een vogel over het gras.

Misschien is het beter een vogel te zijn, denkt Olivia. Die draagt geen verantwoordelijkheid voor andere vogels, hoeft zich niet af te vragen of hij magen, ingewanden en huiden op de juiste wijze dichtnaait. Die hoeft zich alleen maar te bekommeren over een pier in de grond die hij betrekkelijk eenvoudig uit de aarde kan pikken.

Ze doet de deur open, strekt haar armen uit en beweegt ze snel op en neer. Misschien vliegt ze zo de lucht in, kan ze van de aardbodem verdwijnen.

Ze stapt snel terug de keuken in en sluit de deur. Hoewel ze zeker weet dat niemand haar heeft gezien, voelt ze zich toch betrapt. De arts die probeert een vogel te worden. Is dit het begin van de dwaling van de geest?

Ze besluit dat het niet kan, dat ze niet kan functioneren. Ze belt naar het ziekenhuis. Ze heeft nog geen idee wat ze zal zeggen. Al die patiënten die gebeld moeten worden en te horen zullen krijgen dat de operatie is uitgesteld omdat dokter Coebergh plotseling verhinderd is wegens privéomstandigheden. Weegt hun lot niet zwaarder dan het hare? Sterven er onnodig mensen omdat ze vandaag niets doet? Hoeveel zullen er sterven? Zouden er minder zijn gestorven als ze wel was gegaan maar hier en daar een fout had gemaakt? Ze weet het niet. Ze zal het nooit weten.

'Goedemorgen, Olivia.' De stem van Ireen.

'Er is iets met Daan, ik kan niet komen.' Ze zegt het meteen.

'Dat is onmogelijk, dan moet het wel heel erg zijn.'

'Ja.'

'Wat is er?'

Ze zwijgt.

'Olivia?'

'Hij is weg, Ireen, hij is weg.'

'O.'

Ze zegt niets.

'En nu?'

'Wat en nu? Dat weet ik ook niet!' schreeuwt ze in de telefoon. Schreeuwt ze echt? Is zij dat?

'Ik merk dat je van slag bent.'

'Ja, natuurlijk, wat dacht je dan?' Ze schreeuwt nog steeds.

'Weet je, ik kom na het werk even langs, we regelen het hier wel.'

'Mooi.'

Ze zet de telefoon uit en gooit hem op tafel. Ireen zal het regelen. Ze heeft dus nog een dag, een hele dag niets. Een hele dag om niets te doen. Een hele dag om in de leegte te staren, een hele dag om met zichzelf te zijn, een hele dag om zich af te vragen wat er is gebeurd, hoe het mogelijk is dat hij er niet meer is, dat 'wij' niet meer bestaat.

'Wij blijven bij elkaar, toch?'

'Mmm.'

'Wij gaan niet uit elkaar, nooit.'

'Natuurlijk niet, waarom zouden we?'

'Omdat je iemand anders ziet die...'

'Die wat?'

'Ach ja... weet ik niet.'

Ze rent door de gang, springt over de gebroken spiegel, gaat met drie treden tegelijk de trap op, sjort haar nette kleren uit, trekt een spijkerbroek en oude trui aan, stormt de trap weer af, glijdt in haar laarzen en gaat naar buiten. Weg van het huis, weg van de herinneringen, weg van alles dat naar hem ruikt, dat hij heeft aangeraakt, dat haar aan hem doet denken. Ze heeft de neiging om gillend de straat uit te rennen maar beheerst zich. Ze weet hoe ze zich recht kan houden, ze heeft zichzelf altijd rechtop gezet. De kop erop! En lachen maar! Het masker is eenvoudig te dragen als niemand doorheeft dat het een masker is. Je moet alleen opletten dat je niet het masker wordt. Dat lukt een aantal mensen goed, je ziet dat het een masker is, de koning, de prinses, de bedrijfsleider die zich tegenover zijn uitvoerend personeel geen houding weet te geven en dus een pose aanneemt, de arts die zich verschuilt achter een uitgestreken gezicht en een witte jas en misschien zelfs de kleuterjuf die altijd lacht, zelfs als dikke wallen onder haar ogen een ongelukkig leven verraden. Maar er zijn ook personen bij wie het niet meer duidelijk is wie er spreekt, het masker of de mens. Of ziet ze het verkeerd? Is de mens het masker? Bestaat er helemaal geen mens achter een masker? Is alles een spel, een decor, een theaterstuk? Pas als ze het dorp uit is en door de weilanden banjert, staat ze zichzelf toe te rennen, te schreeuwen, te gillen, het is alsof al haar frustratie, haar woede, haar pijn een weg naar buiten zoekt. Er is toch niemand die haar ziet of hoort, alleen een verdwaalde eend of een stomme koe. Dieren dragen geen maskers, Olivia heeft nog nooit een koe gezien die probeerde meer te zijn dan ze was, nog nooit een kip zien lopen met een uitgestreken gezicht. Of misschien onderschat ze de dieren. Katten kunnen zich wel beter voordoen dan ze zijn, om zo toch nog het laatste stukje vis van het bord te kunnen verorberen. Of is dat geen masker? Is dat impulsgedrag?

Ach, wat kan haar het allemaal schelen, ze laat zich gaan, ze stampvoet als een klein kind, met één been stil en het andere in het natte gras. De laatste keer dat ze dat deed was, als ze het zich goed herinnert, toen ze dertien was en haar zin niet kreeg. Haar ouders verboden haar naar het dorpsfeest te gaan, daarna vond ze zichzelf te oud, stampvoeten was iets voor kinderen. Nu maakt het haar niets meer uit, tieren als een oude heks en niets achterhouden, geen verborgen agenda, het keurslijf eraf stampen.

Haar voeten zakken steeds verder in het modderige gras, ze zuigen zich vast. Ze trekt ze er steeds weer uit, maar na een tijdje lukt het niet meer, dus zakt ze naar beneden, werpt zichzelf tegen de grond, strekt haar armen en blijft liggen. De grond is koud en nat, het vocht trekt door haar jas, trui en broek heen. Alleen haar voeten blijven droog in de rubberlaarzen. Ze legt haar wang op een graspol en sluit haar ogen.

Hier ligt ze. Ze heeft zichzelf neergeworpen en weet niet wat haar te wachten staat. Ze hoeft alleen maar op te staan en de volgende stap te zetten. Maar ze weet niet wat de volgende stap haar zal brengen en dus blijft ze liggen.

# D.

Honger. Hij wordt wakker met honger. Even weet Daan niet waar hij is, maar al snel beseft hij dat hij in zijn auto bivakkeert. Wanneer had hij voor het laatst gegeten? Was dat echt gisterenmiddag toen er eigenlijk nog niets was gebeurd, toen hij nog op zijn werk zat en geen idee had dat hij in de avond zou vertrekken? Hij ziet nog hoe ze de keuken binnenkomt. Rustig, gestaag, beheerst, alsof ze een snijmes in haar handen heeft, klaar om een buik open te snijden, een galblaas te verwijderen, een maag te verkleinen, zo opent ze de keukendeur en kijkt of hij al aan tafel zit en hij zijn taken heeft uitgevoerd, ja, dat heeft hij wel degelijk, de borden staan op tafel, er is water, het brood ligt op het aanrecht en haar glas water staat bij haar bord. De uiensoep is opgewarmd, klaar om opgeschept te worden. Normaal zou ze bij het zien van het ontbreken van de lepels rustig naar de besteklade zijn gelopen, had ze uit de la gehaald, was gaan zitten en had gezegd: 'Zo, de lepels.' Nu stond ze stil en keek hem aan: 'Waar is mijn lepel?' vroeg ze, zonder stemverheffing maar toch met een toon die enige irritatie verried. 'Ik weet het niet,' had hij gezegd, 'of ja, ik weet het wel, in de la natuurlijk.' 'O,' had ze geantwoord, 'waarom ligt hij daar?'

Hij voelde toen al aan dat het een onzinnig gesprek was en dat er in feite iets anders werd gezegd, meer in de trant van, waarom heb je niet aan me gedacht, waarom heb je geen rekening met mij gehouden, je weet toch dat ik een lepel nodig heb, je houdt eigenlijk nooit rekening met me, nooit, ik moet hier alles regelen, zelfs een lepel moet ik nog zelf pakken, terwijl het toch een kleine moeite is om als je de borden op tafel zet, ook een lepel te pakken, het is een handbeweging van enkele centimeters die eenvoudig is uit te voeren, waarom ligt die lepel daar niet, waarom heb je dat niet voor me over? Heb je eigenlijk wel iets voor me over? Niets toch, eigenlijk wil je helemaal niets meer voor me doen!

Maar dat zei ze allemaal niet.

Hij antwoordde haar: 'Hij ligt daar omdat ik vergeten ben hem naar de tafel te verplaatsen.'

'O,' zei ze.

En ze liep naar de la, pakte één lepel, draaide zich om, liep terug en legde hem naast haar bord. Daarbij keek ze hem aan met een blik waardoor hij wist dat ze in een tirade zou uitbarsten, dat ze op het punt stond hem al die verwijten te maken die hij al zo goed kende, en waar hij geen zin meer in had. En voordat ze ook maar iets kon zeggen, richtte hij zich tot haar.

'Weet je', en hij wist werkelijk niet waar hij de moed vandaan haalde, maar hij zei het allemaal: 'Ik weet al wat je nu over me wilt uitstorten, dat jij altijd alles moet doen, dat jij moet zorgen, dat jij dit en jij dat, dat ik niets voor je overheb, dat ik alleen maar aan mezelf denk, dat je niet in mijn leven voorkomt en ga zo maar door, maar ik zal je vertellen dat ik daar niet naar ga luisteren, dat ik daar nooit meer naar ga luisteren, dat ik ga, dat ik nu, hier, deze keukendeur uit ga, de deur achter mij dichttrek en ga, en je hoeft me niet terug te roepen, je hoeft niet achter me aan te gaan, ik ga weg, en ik weet niet of ik nog terugkom, nee, ik weet het eigenlijk wel, ik kom niet meer terug, je doet maar met je leven wat jij denkt dat goed is, ik hoor er niet meer bij, ik ga.'

En toen had hij de autosleutels gepakt en was gegaan. De deur had hij met een beheerste zachte klik achter zich dichtgetrokken. Vooral die beheerstheid, die volstrekte controle moet haar hebben verlamd, dat hij zo overtuigd was van zijn keuze dat hij de deur zo kalm had kunnen sluiten.

Hij rekt zich uit en bekijkt zijn nieuwe onderkomen. Het is best aangenaam in de auto. Het is er warm, behaaglijk, overzichtelijk. Hij voelt aan de stoppels op zijn kin en wangen, dat wordt een klein baardje, denkt hij, en hij verontschuldigt zich in gedachten tegenover zijn oom, die hem zeker zou verfoeien omdat hij zonder scheerspullen zijn aftocht had geblazen, hoe vreemd is het om zich te verontschuldigen tegenover een dode, en hij neemt zijn woorden terug, hoewel dat eigenlijk ook niet kan, dus neemt hij ook die woorden weer terug, wrijft nogmaals over zijn stoppels en zweert dat hij zich nooit meer schuldig zal voelen over een stoppelbaard. Hij brengt zijn haren in model, vouwt de deken op, legt hem onder de stoel, denkt even aan de Rus die eerst zijn baard voor de autospiegel bijknipte en daarna koffie ging zetten met een gasbrander. Daan heeft niets, dus besluit hij naar het dorp te rijden voor koffie en een broodje.

Hij kruipt achter het stuur en rijdt de parkeerplaats af, de weg op. Er lopen een paar mensen op het trottoir. Een vrouw stapt met kordate passen voort, haar hoofd gebogen, Olivia had haar hoofd nooit gebogen, altijd rechtop, de kin naar voren, ogen wijd open. Achter de vrouw huppelt een meisje aan de hand van een oude man. Haar opa misschien? Of een man die zijn vrouw had verlaten voor een jonge dame en zich op oudere leeftijd nog altijd over een kind moet ontfermen? Het kind zingt, opa grijnst. Aan de overkant een jongen op de fiets, met headphone op en mobiel in zijn hand. Hij kijkt vooral naar het scherm, af en toe naar de straat. Er is niemand die naar Daan kijkt. Iedereen lijkt het normaal te vinden dat hij hier rijdt op dit uur van de dag, toch voelt hij zich misplaatst in deze setting, zijn leven speelt zich eigenlijk ergens anders af, in een woonwijk, met parkeerplaatsen, een huis, gordijnen, een gedekte tafel en dampende koffie... Misschien, denkt hij ineens, is hij helemaal niet op de verkeerde plek, en is dit onderdeel van de som van zijn leven, behoort hij juist hier te zijn, op dit moment, op dit tijdstip, in dit decor, in deze auto, in deze kleren, met deze honger.

Bij de bakker koopt hij een broodje kaas, een cappuccino en een appel. Even staat hij met de krant in zijn hand, de koersen, denkt hij, wat zou de krant berichten over de koersen van vandaag? Maar hij laat de krant liggen, hij gaat toch niet, hij belt voor het eerst in zijn leven zijn werk af.

# O.

Olivia graait met haar vingers door de graspollen, voelt de zwarte aarde, trekt haar handen eruit en smeert de aarde over haar gezicht. Dwaalt ze af? Wie is deze vrouw die aarde over haar gezicht smeert? Een vrouw met pleisters op haar knieën? Ze naaide ooit een vrouw dicht die haar benen helemaal had opengesneden. De vrouw had het fileermes van de messenset gebruikt. Ze was aan tafel gaan zitten en in haar onderbenen begonnen. Rustige, regelmatige sneden, geen haastwerk, weloverwogen, alsof ze een groot stuk vlees in mooie lappen had willen snijden. Toen haar bovenbenen ook openlagen, was de bloedplas zo groot geworden dat ze wakker was geschrokken. Ze had zelf het alarmnummer gebeld. De vrouw kon niet verklaren waarom ze het had gedaan. Ze was niet psychotisch, althans niet volgens de gangbare definitie, ze leidde een normaal leven als logistiek planner bij een transportbedrijf, ze had drie gezonde kinderen en een lieve man, in de familie kwamen geen psychische stoornissen voor. Uitzonderlijk, geen verklaring voor, zo luidde de conclusie. Olivia had haar zonder vragen met honderden hechtingen dichtgenaaid. Misschien droeg die vrouw een groot geheim met zich mee dat ze eruit had willen snijden. Of was het masker dat ze droeg ondraaglijk, maar kende ze geen uitweg? Olivia had het haar graag gevraagd, maar toen ze de volgende dag wilde kijken of de hechtingen goed genazen, bleek de vrouw al naar huis te zijn. Bezuinigingen, kreeg Olivia bij navraag te horen, de wijkverpleegkundige zou de zorg overnemen. Er was verder toch geen enkele complicatie geweest, dokter Coebergh? Nee, had Olivia snel gezegd, nee, nee. Ze stelde zich de vrouw voor, met drie kinderen om zich heen en twee benen vol draad.

Wat had zij gedaan als Daan langer was gebleven? Was ze hem te lijf gegaan met een mes? Had ze het zo weerzinwekkend gevonden nog langer in zijn nabijheid te verkeren dat ze hem had bewerkt? Het duistere in de mens, het alom aanwezige duistere, we kunnen het zo goed onderdrukken met onze maskers, maar als het wint, als het even door de dunne laag van beschaving heen breekt, wat dan, moeten we dan rennen voor ons leven? Moorden we dan onze naasten uit, zonder pardon, zelfs zonder reden? Olivia had die vrouw kunnen zijn, zij had het kunnen zijn, ze had alleen de sneden niet van boven naar beneden gezet maar van links naar rechts, omdat ze dan moeilijker genezen.

Ze heeft het koud. Wat doet ze in dit weiland? Waarom ligt ze hier? Ze was aan zijn kant van het bed in slaap gevallen, misschien was het toch geen gewoonte, was er meer liefde dan ze dacht, maar ach, wat weet ze van de liefde. Ze kan zich niet herinneren dat iemand haar er ooit iets zinnigs over heeft verteld, ze heeft geleerd hoe ze twee en twee optelt, hoe ze woorden spelt, waar de evenaar ligt, ze kent de stelling van Pythagoras, de tweeënnegentig atomen, de zwaartekracht, ze weet wanneer Napoleon zijn veldslagen won, Wilhelmina de troon besteeg, de Tweede Wereldoorlog eindigde, ze weet hoe kaas wordt gemaakt, brood wordt gebakken en vlees wordt gebraden, ze weet hoe ze een maagzweer, tumor of blindedarm wegsnijdt, maar van

de liefde weet ze niets. Het is min of meer vanzelfsprekend dat je liefde vindt, dat je iemand bemint. Maar
hoe vanzelfsprekend is die liefde? En waarom vertelt
er niemand iets over de haat?

Ze draait zich om en gaat op haar rug liggen, nu
trekt het vocht door haar jas en trui heen naar haar
rug. De wolken zijn grijs. Het zou haar niet uitmaken als het zou gaan regenen. Het lijkt haast filmisch:
een vrouw verlaat het huis, in verdriet of radeloosheid,
of ja, in welke staat was ze eigenlijk, in ieder geval, de
vrouw gaat, werpt zich neer op het gras, klauwt met
haar handen in de aarde en dan gaat het ook nog regenen.

Ach, nee, bah, te cliché.

Laat de zon maar schijnen zodat ze op kan drogen.
Ze gaat zitten en kijkt om zich heen. Een eindje verderop grazen een paar koeien, op een paaltje van de
omheining zit een vogel.

Het is bijna idyllisch, en als ze niet wist waarom ze
hier zat, dan zou ze ervan kunnen genieten, of wacht,
kan ze dat nu ook niet doen? Gewoon de knop om-
zetten en alles achter zich laten, opnieuw beginnen,
het leven weer oppakken alsof er niets is gebeurd.

Ze trekt haar benen omhoog, legt haar kin op haar
knieën – de wonden steken een beetje maar het deert
haar niet – en staart naar de vogel op de paal.

# D.

Daan rijdt terug naar de parkeerplaats en zet de auto op precies dezelfde plek als waar hij de nacht heeft doorgebracht, het voelt een beetje als thuiskomen, de plek geeft hem een anker in zijn nieuwe bestaan.

Hij gaat op de rechterstoel zitten, háár stoel, schiet het door hem heen, zet de koffie op het dashboard, en kijkt naar de zee. Hoge golven spoelen over het strand. Hij weet het nog, de eerste keer dat hij de zee zag. Een jaar of zes was hij, aan de hand van zijn vader. Daan in zijn zwembroek, vader in korte broek met blouse. 'Kijk, Daantje, de zee, en daar aan de overkant, dat kun je niet zien, daar is weer land.' Daan had geknikt. Toen vader daarna even zijn ogen dichtdeed in de duinen, met zijn hoofd in een kuiltje en zijn gezicht in de zon, was Daan teruggelopen met zijn handdoek. Hij had een aanloop genomen en was gaan zwemmen, op zoek naar het land aan de andere kant. De golven waren hoog, hij ging regelmatig kopje-onder. Na lange tijd zag hij nog geen land, en besloot hij terug te keren. Maar het strand met de parasols was verdwenen. Er was alleen water, niets dan water. Hij raakte in paniek. Waar was het zand? Waar de duinen? Hij spartelde rond, draaide zich om en om, maar zag niets. Hij ging weer kopje-onder, huilde. Er kwam een grote golf aan, met hoge witte koppen, gillend probeerde hij weg te zwemmen, maar de golf overspoelde hem, nam hem mee, hij weet nog hoe donker het werd in het water, hoe duister het om hem heen werd, toen eindelijk zijn hoofd weer bovenkwam, zag hij zijn vader. Daan probeerde te zwaaien, maar vader zag hem niet. De volgende golf nam hem wat verder mee, toen zag vader hem wel, met kleren en al rende hij het water in, greep Daan bij zijn handen en trok hem het water uit. 'Idioot,' bromde hij, 'stomme idioot.' Daan werd hardhandig afgedroogd en moest zijn kleren aantrekken, zwemmen mocht hij niet meer. En deed hij daarna ook niet meer, hij durfde niet meer, bang dat de andere kant hem weer zou trekken, bang voor de hoge golven, bang te verdwalen in het water. Hij bleef altijd op het strand staan als Olivia de zee in dook. Kijk je uit? Niet te ver, zie je me nog?

Daan haalt het broodje uit de papieren zak en neemt een hap.

Het smaakt hem niet. Hij had nu ook aan tafel kunnen zitten, met jus d'orange, een stukje vlees, kaas, vers brood.

Hij ziet op het strand een vrouw lopen, het zou zomaar Olivia kunnen zijn, haren in de wind, rustige stap, gestaag, af en toe vooroverbuigend om naar een schelp te kijken. Even verderop loopt een man, zouden ze bij elkaar horen? De man loopt traag, hij sloft een beetje, zijn hoofd licht gebogen, zijn handen diep in zijn zakken, af en toe staat hij stil, waarom is Daan niet duidelijk, misschien om uit te rusten? Als de man en vrouw elkaar naderen is er geen blik van herkenning, geen groet, ze lopen elkaar voorbij als onbekenden, als vreemden. Daan stopt het broodje terug in de zak en neemt een slok koffie.

Soms ziet hij wel eens een echtpaar van in de tachtig waarvan de man en vrouw eigenlijk niet meer van elkaar te onderscheiden zijn. Het is alsof de tijd er één persoon van heeft gemaakt. De houding, de blikken, de woorden, de kledingstijl; er is geen verschil meer waar te nemen. Vreemd als je bedenkt dat juist het verschil de liefde doet ontvlammen. Tenminste, enig verschil, te veel verschil veroorzaakt afstoting en verwijdering. Maar een beetje anders, ja, dat is aantrekkelijk. Misschien was dat de grote fout, denkt hij, misschien hadden hij en Olivia veel te vaak geprobeerd het verschil te elimineren. Waren Romeo en Julia ook niet waanzinnig verliefd om het verschil? Om de magie van het anders zijn? En was dat het probleem met de liefde? De meeste mensen trouwen hun eigen soort, dat wat ze kennen, dezelfde afkomst, hetzelfde opleidingsniveau, dezelfde huidskleur, dezelfde taal. Romeo en Julia waren de uitzonderingen, dat was niet de massa, dat was niet hoe de meeste mensen hun liefde vormgaven. Als hij Romeo was geweest, wat had hij dan nu gedaan? Was hij teruggegaan om Julia te ontvoeren, haar weg te halen uit de wereld waarin ze waren beland? Of was hij als moderne Romeo vrijzinniger geweest en had hij er een derde bij gehaald om de liefde nieuw elan in te blazen, een speelmaatje voor in bed? Vreemde ogen maken zichtbaar wat aanwezig is, werpen de blik op een ander detail of doorbreken het vanzelfsprekende. Ach nee, Romeo zou zich vast voor een tweede keer van het leven beroven omdat hij niet kon krijgen wat hij wilde. Ach, die verdomde liefde! Daan slaat met zijn handen op het dashboard. Misschien moet de mensheid de liefde opnieuw uitvinden, het idee van de ware uitbannen en er iets anders voor in de plaats zetten.

Daan opent het portier, stapt uit en loopt naar het strand. Hij zet zijn voeten in het zand, hij weet nog niet waar hij heen loopt, nu hij zijn eerste doel bereikt heeft, lijkt ieder nieuw doel zinloos. Hij kan wel blijven aankomen en vertrekken maar zichzelf neemt hij mee. Of kan hij langzaam veranderen, kan hij zich langzaam aanpassen aan de wereld buiten hem? Kan hij van een burgerman die iedere dag hetzelfde deed, hetzelfde ritme had, veranderen in een zwerver, in een nomade, in een mens op reis in plaats van een mens op de vlucht?

Als oom nog geleefd had en zou weten dat hij hier doelloos over het strand dwaalde, had hij Daan een schop onder zijn kont gegeven, hij had hem net zo lang over het strand gedreven tot hij weer een richting had bepaald. 'Niet kniezen, jong, niet kniezen, voorwaarts mars!'

Maar als er geen voorwaarts is, wat dan?
Huiswaarts?

# O.

Olivia staart naar de grijze lucht, haalt diep adem, laat haar longen volstromen met frisse lucht en blaast wolkjes. Het filmische drama wordt toch nog compleet, het gaat regenen. Ze blijft rustig zitten, net als de vogel op de paal, die ook gewoon de druppels op zijn veren laat neerkomen.

Olivia legt haar hand op haar hart en voelt hoe het klopt. Rustig, niet in paniek, alsof het nergens op uit is, geen haast heeft. Maakt het het hart wat uit wat ze doet? Nee, denkt ze in eerste instantie, ja, denkt ze daarna, natuurlijk, het klopt sneller als ze rent, springt, danst, vrijt, het vertraagt als ze slaapt of televisiekijkt. Maar wat zoekt het hart? Misschien moet ze hier de hele dag blijven zitten, in dit natte modderige veld, tot ze weet wat haar hart wil. Het kan haar niets schelen als ze morgen met een fikse griep in bed ligt. Ze verzinnen maar iets daar in het ziekenhuis. Onverantwoord? Ja, zeker onverantwoord. Maar ze kan het niet. Ze wil het niet. Ze is er even niet. De vogel op de paal, die zou ze willen zijn, of de mier die zojuist over haar schoen kroop, of desnoods de regendruppel die over haar wang glijdt. Alles, als ze maar heel even niet Olivia is. Niet deze Olivia, die zich zo dadelijk weer over haar eigen leven moet buigen alsof het van een ander is.

Of is dat de fout, moet ze niet kijken naar haar leven alsof het van een ander is? Een vogel is toch ook niet zichzelf en een ander? Misschien moet ze met haar leven samenvallen zoals de regendruppel in haar jas is opgezogen, zonder aarzeling, in volle overgave. Haar patiënten konden haar altijd met angst in de ogen aankijken, komt het goed, dokter? Het komt zeker goed, antwoordde ze altijd, zonder te weten wat er precies goed moest komen. De dood is ook goed, als het nodig is dat hij komt, dan is zelfs de dood goed. Ze denkt niet dat een van haar patiënten dat ook maar ooit bedoeld heeft. Of toch, dat ene meisje met zo'n grote tumor in haar hoofd dat Olivia bij het lichten van haar schedel de dood als het ware in haar handen droeg. Olivia hield minutenlang haar schedeldak vast, na de eerste ontzetting maakte ze alsnog een analyse, ze zou hier de tumor los kunnen snijden, daar een beetje, maar wat deed ze dan met het middelste gedeelte, dat zo vergroeid was met de hersenen dat er eigenlijk niet te snijden viel? Als ze zou snijden, zou ze ook alle vitale delen weghalen, de spraak, het lopen, het handelen, het denken, ze zou een chaos achterlaten, een geheel ander kind, en ze zou nog steeds deels de tumor hebben laten zitten, die ongetwijfeld in enkele weken zou uitgroeien tot het formaat van een tennisbal, en groter nog, als het meisje niet al zou bezwijken aan de druk in haar hoofd. Ze kon het beter laten zitten, ze kon het schedeldak beter weer terugplaatsen, vastzetten en de tumor met de hersenen laten zitten, zodat het meisje tenminste dood kon gaan zoals ze was, en ze op haar eigen wijze afscheid kon nemen van het leven. Maar het vreemde was dat Olivia dat haast niet kon, het was haast onmogelijk om haar handen niet tot snijden aan te zetten, alsof ze de dood niet kon accepteren, hem wilde tegenhouden, een laatste redmiddel wilde toe-passen, terwijl ze wist dat ze daarmee zowel de dood als het leven zou verminken. Het was de blik van haar jongere assistente die haar ervan weerhield het mes in de tumor te zetten. Ze zei niets, die assistente, maar ze keek Olivia aan. Ze weet het nog precies, helderblau-we ogen met kleine bruine vlekjes, die ogen zeiden nee, dat ga je niet doen, je laat dit meisje het meisje zijn dat ze nu is, zo rustig waren die ogen, zo helder onder het operatiekapje. Olivia had haar lang aangeke-ken, de assistente sloeg als eerste haar ogen neer, maar ze had Olivia tot de juiste daad aangezet. Olivia recht-te haar rug, keek de operatieploeg aan en zei: 'We doen niets, de tumor is te groot, we zetten de schedelpan er weer op.' De ontsteltenis was groot, iedereen riep door elkaar, behalve zij die het net als Olivia had gezien, zij knikte en keek haar weer aan, met die krachtige ogen, die rust. Later, veel later, toen het meisje al lang dood was, vertelde ze dat ze een broertje had verloren aan een nog altijd onbekende doodsoorzaak en dat ze het het ergst had gevonden dat ze maar waren blijven proberen hem te helpen terwijl hij al maanden riep dat hij doodging en dat ze hem goddomme ook maar dood moesten laten gaan. Pas in de laatste week had iedereen het opgegeven, hij mocht naar huis om te sterven. Daar bracht hij toen intens gelukkig de laatste dagen van zijn leven door, ze had iedere dag uren bij hem in bed gelegen, hem door zijn haren gestreeld, hem gekust, kopjes limonade gebracht, hem zijn lievelingsboeken voorgelezen, de kat op zijn schoot gezet, het konijn bij hem in bed gesmokkeld, hem midden in de nacht geholpen met plassen, hem met een lepeltje chocoladevla gevoerd, hem alles alles gegeven wat ze maar kon, tot hij op een ochtend, de zon kwam net op, zijn hoofd naar haar toe draaide, haar nog eenmaal aankeek en zei: 'Nu ga ik dood', en hij had nog gelachen, hij had naar haar gelachen, en toen was hij gegaan. Zomaar, zomaar doodgegaan met een glimlach om zijn lippen. Het beeld van het kind voor een raam dat de zon op ziet komen, doodgaat met een glimlach om zijn lippen en zijn geliefde zus naast zich, bleef Olivia nog lang bij.

Ze bezocht het meisje met de tumor vaak. Het meisje wist niet dat ze haar hadden opgegeven, de ouders hadden besloten dat ze zouden zeggen dat de dokters alles hadden gedaan wat ze konden en dat ze nu moesten afwachten wat er zou gebeuren. Het meisje had Olivia vragend aangekeken, maar niets gezegd. De volgende dag, toen haar ouders even weg waren, had ze haar gevraagd wat zij dacht dat er zou gebeuren. Olivia wist even niets te zeggen, maar vertelde haar toen dat het leven net zo'n groot raadsel is als de dood, dat je nooit wist wat er ging gebeuren, maar dat het enige wat je nog kon doen, als je zo ziek was als zij, was te geloven in je leven en er het beste van maken. Dat had dat meisje toen op miraculeuze wijze gedaan. Ze liet zich overal heen brengen waar ze nog graag wilde zijn, naar het strand, waar ze haar voeten in zee liet bungelen, naar de rivieren, waar ze in bootjes ronddobberde, naar het zwembad, om van de hoogste glijbaan af te glijden, naar haar oma, bij wie ze nog een nachtje samen in het grote houten bed wilde slapen, ze leefde die laatste weken voluit, niet in volle versnelling, nee, juist in de vertraging werd iedere minuut voor haar een jaar en stierf ze na een paar weken stokoud, voldaan van wat het leven had gebracht en dankbaar voor de liefde die ze had gekregen. Wat Olivia nooit deed bij haar overleden patiënten, deed ze bij dit meisje wel. Ze ging naar haar begrafenis. Ze wilde haar de laatste eer bewijzen, haar groeten, haar dood groeten. En ze wilde haar ouders prijzen voor de wijze waarop ze haar hadden laten sterven, voor de moed die ze hadden gehad om het einde te accepteren en er toch nog een leven van te maken. Ze denkt niet dat ze ooit een mooiere begrafenis zal bijwonen. De kleine ruimte waarin haar kist stond was bezaaid met veldbloemen, je liep als het ware over een bed van bloemen, haar gezicht werd omlijst door haar lange blonde krullen en het was zo sereen, zo vol van het leven en de dood tegelijkertijd dat er een troost van afstraalde, een troost uit het hiernamaals: het leven is zo mooi, beschouw het als een geschenk, zoiets leek het te willen zeggen. Olivia heeft de kleine hand, met een bosje madeliefjes, haar lievelingsbloemen, nog even aangeraakt.

Misschien was dat het probleem tussen hem en haar, dat ze niet ten volle leefden. Dat ze het erbij lieten zitten, dat ze het leven niet grepen, er niet gulzig van dronken maar dat ze overal de valkuilen zagen, de angsten, de bergen, de mist, de tegenzittende resultaten, dat ze niet creëerden maar reageerden, dat ze helemaal geen besef hadden van wat het leven werkelijk is.

Olivia zet haar vingers in de modderige aarde, trekt haar laarzen er met veel moeite uit, richt zich op en wil naar de vogel op de paal kijken, maar hij is weg.

# D.

Daan is opgehouden met lopen, hij had geen idee waar hij heen liep. Hij gaat weer op het strand zitten en staart naar de horizon. Hij heeft wel eens op het punt gestaan om Olivia te slaan. Niet een beetje, maar grof en hardhandig, zodat ze zou gillen van de pijn, misschien zelfs zo hard dat ze de volgende dag niet meer zou kunnen lopen of zich zo zou schamen voor haar blauwe plekken dat ze de deur niet meer uit durfde. Hij heeft zich toen afgevraagd of dat normale gedachten zijn voor een man die gek wordt van de beknelling in zijn relatie, maar dat niemand hierover iets loslaat, dat mannen dit niet uiten en zichzelf gek maken met het idee dat zelfs de gedachte aan je vrouw slaan al pervers en strafbaar is. Hij heeft toen uit zelfbehoud wat rondgevraagd, en gelukkig, het bleek niet al te zorgelijk te zijn. Het verbaasde hem hoe openhartig mannen waren. Het waren niet eens zijn vrienden, tenminste, hij beschouwde ze niet als zijn vrienden. Niet dat zij dat wisten, maar dat deed er niet toe, hij liet ze graag in de waan. De mannen lieten hem allemaal zonder schaamrood, zonder naar beneden te kijken, zonder met de handen te wriemelen, weten dat ze daar zelf ook wel eens last van hadden. Het leek bijna of het iets was om trots op te zijn, dat het mocht, dat het je mannelijkheid bewees. Een man die nog nooit de neiging had gehad zijn vrouw een mep te geven, was dat wel een echte man? Het kwam erop aan, daar lag dan de werkelijke viriliteit in verscholen, de gedachte niet ten uitvoer te brengen, aldus een van de heren. De gedachte mocht nooit ofte nimmer een daad worden, fluisterde die tussen twee slokken cognac in. Een van de mannen gaf Daan de tip om een boksbal aan te schaffen, volgens hem was het noodzakelijk dat al die agressie een uitweg kreeg, het zou een relatie schaden als de klap niet echt werd uitgedeeld. Dan vrat die klap zich een weg naar binnen, recht naar het hart van de mannelijke kracht. Met een boksbal kon je met iedere rake klap je mannelijkheid bewijzen. Daan heeft nooit een boksbal aangeschaft. Misschien is hij vanbinnen wel opgevreten door te veel agressie, heeft hij zichzelf de klappen gegeven die hij liever had uitgedeeld. O, het waren er niet veel, maar toch, in al die jaren een stuk of drie. De eerste keer omdat Olivia niet luisterde naar wat hij te zeggen had over de grote kastanjeboom op het dorpsplein die was omgehakt; de tweede keer omdat ze vergeten was de vuilniszakken buiten te zetten met als gevolg dat ze twee weken lang in de stank van rottend huisvuil moesten zitten, het was zomer en er was een hittegolf, ze vertikte het om het vuilnis zelf naar de stort te brengen en hij op zijn beurt weigerde haar taak over te nemen, krankzinnig was het, maar het gebeurde; de derde keer, ja, dat is nou net het probleem, de derde keer weet hij niet meer, hij weet niet meer waarom hij haar had willen slaan. Hij weet alleen dat hij toen het hardst had willen uithalen, voluit, zijn rechterarm eerst naar achteren bewegen om vervolgens een stevige vuist te maken en die recht op haar gezicht neer te laten komen. Misschien was er ook geen enkele aanleiding, was er alleen dat verlangen om haar een mep te geven.

Daan denkt niet dat zij hem ooit heeft willen slaan. Hij heeft wel vaak het vermoeden gehad dat ze hem met haar operatiemes had willen bewerken, dat ze hem zo nu en dan het liefst fijntjes had willen opensnijden om zijn achteloosheid en nalatigheid subtiel te verwijderen.

Misschien, denkt Daan nu, terwijl hij naar de horizon kijkt, was het beter geweest als hij haar die derde keer wél een vuistslag had gegeven, dan was er wellicht iets losgeschoten, iets in beweging gezet waardoor ze nader tot elkaar waren gekomen. Het kan ook zijn dat ze hem onmiddellijk had verzocht het huis te verlaten of wie weet had ze simpelweg teruggeslagen. Wat had hij dan gedaan? Ook weer een mep uitgedeeld? Zodat zij op haar beurt hem weer een klap had gegeven en ze in een gevecht terecht waren gekomen waaruit hij waarschijnlijk als winnaar tevoorschijn was gekomen. Of had zij slimme tactieken waar hij geen weet van had? Ze kende als geen ander het lichaam en wist waar spieren, bloedvaten, organen en ingewanden zich bevinden. Met een eenvoudige tik had ze hem vast lam kunnen leggen. Als er dan geen liefde meer is, dan maar pijn. Dan is er in ieder geval iets wat blijft, iets rauws, iets wat gevoeld kan worden. Het gevoelloze bestaan is misschien wel pijnlijker dan het lijden. In het lijden wordt tenminste nog geleefd, in gevoelloosheid is alles dood.

Ach, wat een onzinnig gedoe hier aan het strand!

Wat zit hij hier te doen?

Gedistingeerde man met stoppelbaardje staart doelloos naar zee.

Resoluut staat hij op, slaat het zand van zijn pak, stapt driftig terug naar de auto, wil instappen, maar bedenkt zich.

Hij rent terug naar zee, trekt zijn kleren uit en duikt, zonder er verder bij na te denken, het zeewater in.

# O.

Ze voelt de kou en nattigheid tot in haar zitbotjes. Koude ronde billen die ooit in zijn warme handen lagen, handen die haar in één beweging op de keukentafel tilden, haar broek uittrokken en haar op klaarlichte dag bevredigden. Als ze hier nog langer blijft zitten, wordt ze zo koud als de dood. Ze kijkt naar het gras dat glinstert van de regen, als ze hier zou huilen, zou het niet eens opvallen, haar tranen zouden versmelten met het regenwater. Er bestaat een mogelijkheid dat ze elkaar nooit meer zien, dat ze weigeren elkaar nog te ontmoeten. Fini. Het einde van een begin, ze liep hem in de gangen van het ziekenhuis tegen het lijf. Hij in pak, zij in witte jas. Hij met een pen in zijn handen, zij met de stethoscoop om haar nek. Hij met het hoofd naar beneden gericht, zij met de kin omhoog. Hij liep de bocht om, zij liep de bocht om. In die bocht ontmoetten hun ogen elkaar even, en voor ze het wist zei ze: 'Hoi.' Hij groette terug, ze stonden stil. Waarom? Ze weet het niet. Ze keken elkaar aan, in een fractie van een seconde ontdeed ze hem van zijn jasje, blouse, broek, boxershort, liet haar tong langs zijn nek heen dwalen, trok hem aan zijn haren, en bedreef ter plekke de liefde met hem, in de gang van het ziekenhuis op het koude witte zeil. Terwijl ze hem in haar verbeelding ontdeed van zijn kleren, sprak ze beleefde woorden met hem.

'U ziet er niet uit als een patiënt.'

'Nee, ik ben hier voor de cijfers.'

'Aha, de alom belangrijke cijfers. Als die maar kloppen.'

'Precies, hoogst belangrijk, kloppende cijfers. Zonder kloppende cijfers kunt u niet...?'

'Snijden, zonder cijfers snijd ik niemand open.'

Hij lachte.

'En wat snijdt u zoal open?'

'Ah, wilt u dat werkelijk weten?'

Hij knikte.

'Buiken, benen, hoofden, eigenlijk alles waar maar in te snijden valt. En het hart, niet te vergeten, dat snijd ik ook open.'

Ze glimlachte naar hem.

En terwijl ze dit woordenspel voerden, wisten ze dat het niet om de woorden ging maar om iets anders. Om het verlangen, om de lust die daar zomaar werd aangewakkerd. Ze zag hoe zijn blik van haar gezicht naar haar borsten gleed, naar haar middenrif, buik, benen, om weer terug te keren, buik, borsten, gezicht, haren, ogen.

'Maar... ik snijd een hart pas open als het niet functioneert,' hoorde ze zichzelf zeggen.

Hij keek haar met een opgetrokken wenkbrauw aan. 'Mmm, en wanneer functioneert een hart niet?'

'Tja, dan zal ik het eerst moeten onderzoeken.'

Hij was even stil maar bleef haar aankijken, een lichte verbazing trok over zijn gezicht.

'Vanmiddag om vier uur, kamer 302 bij chirurgie, schikt dat?'

Hij was te verbouwereerd om haar te antwoorden, ze wachtte zijn antwoord ook niet af, draaide zich met een zwier om en liep de gang in. Ze voelde hoe hij haar nakeek, ze kon het niet laten om overdreven heupwiegend te lopen.

Ze had die dag moeite om haar concentratie vast

te houden, gelukkig zorgde haar jarenlange ervaring ervoor dat haar handen niet trilden tijdens de incisies maar stevig en doelgericht hun werk deden.

Om vier uur precies, geen seconde later, de man van de cijfers, stond hij in haar kamer. Zonder woorden leidde ze hem naar de onderzoekstafel, ze legde haar stethoscoop op zijn hart, dat haast uit elkaar moest spatten, zo wild klopte het.

Ze luisterde aandachtig en liet toen langzaam haar blik omhooggaan, haar ogen keken in de zijne en toen werd het stil en woest tegelijk. Stil omdat ze leek te verdwijnen in iets wat groter was dan zijzelf, wat haar meenam naar een andere ruimte, een andere zijnstoestand. Ze had niet voor mogelijk gehouden dat zoiets bestond, alsof ze wegdreef in zijn ogen, in zijn geest, in zijn ziel, naar een andere dimensie. Woest omdat ze na een korte stilte haar handen in zijn nek legde en haar lippen tegen de zijne drukte, nog altijd met de stethoscoop in haar oren, en toen besefte dat ze nog nooit een verlangend hart had gehoord, ze kende alleen zieke harten, harten die het begeven, die ophouden, die pauzeren, die het leven niet meer omarmen, die haperen, waar iets aan mankeert. De harten die niet meer willen, die het leven van zich afstoten, die zich afvragen waarom ze nog altijd iedere dag, ieder uur, iedere minuut het bloed rond moeten pompen, de harten die dichtgetimmerd zijn met angst of dichtgeslibd met vet en nicotine, de harten die zich hebben afgesloten voor het sappige, geurige en bruisende leven, de harten die verschrompeld zijn omdat er niemand was die naar ze luisterde, werkelijk wist wat het wilde zeggen. Maar dit was een gezond kloppend en verlangend hart. En god, wat kon een hart kloppen! Het bruiste, het stroomde, het was vol leven! Dit hart wilde ze niet opensnijden, dit hart wilde ze proeven, ruiken, zien en opvreten. De daaropvolgende, wat zal het geweest zijn, misschien hooguit twintig minuten, vrat ze iedere hartenklop op, ze pulseerde met zijn hart mee en verdween in stromend bloed, niet uit vaten of incisies maar in haar eigen lijf en dat van hem.

Waarom deze goddelijke seks uit hun relatie was verdwenen weet ze niet. Op een dag moesten ze constateren dat die er niet meer was. Hoeveel keer hadden ze de liefde niet bedreven in haar werkkamer, op de onderzoekstafel, op het bureau, op de keukenvloer, op de keukentafel, in de achtertuin, in het bos, aan zee, in de duinen, waar ze ook maar konden en niet gestoord zouden worden, daar deden ze het, daar besprongen ze elkaar en vreeën eindeloos. Soms was het kort en hevig, soms droegen ze elkaar teder en zacht naar een andere wereld. Keer op keer gaf haar geest zich over aan het lichaam en verdween ze in het wij, in het ons. Ergens, ergens moet er op een dag iets gebeurd zijn wat het wij uit elkaar dreef. Misschien iets kleins, een woord, een gebaar, een zin, een streling. Of misschien simpelweg de gewoonte, de gewoonte van de passie, hoe passievol ook. Er ontstond ruimte tussen de hartenklop, ruimte voor ongenoegen, voor teleurstelling, voor een kwetsend woord. Het ging niet van de ene op de andere dag, nee, langzaam, tergend langzaam, sloop het erin, sloop de leegte naar binnen. De leegte bleef niet leeg, was het maar zo, dan hadden ze in ieder geval nog kunnen vertoeven in een ledigheid zonder woorden. Nee, zo vol als de seks was, zo slecht konden ze de leegte verdragen. De leegte werd bestreden met een vuile smerige oorlog. In het begin was die oorlog nog een garantie voor vrede, een verstrengeling van ledematen, kussen in de nek, een aai door het haar. Zoete seks, seks die troost. Maar troostende seks houdt niet lang stand. Troostende seks verbloemt de pijn die onder de troost verscholen ligt. Zolang die niet wordt aangepakt, is de seks gedoemd te verdwijnen.

Olivia deed eerst nog verwoede pogingen. Hoe meer ze hem door het slijk haalde, hoe groter de troost, hoe beter de seks. Ze wist dat ze de verkeerde weg was ingeslagen maar ze kon niet meer terug, ze hakte op hem in alsof hij een stuk steen was dat ze met grof geweld moest breken, ze liet niets van hem heel. Zijn jeugd, zijn onvermogen zich aan te passen aan de wereld, zijn idiote liefde voor de cijfers; ze probeerde hem klein te krijgen om hem vervolgens met haar lijf weer op te bouwen. Ze wist dat het ziekelijk was wat ze deed, maar ze kon het niet tegenhouden, het ging met haar aan de haal, ze kon niet anders. En hij hield haar niet tegen.

Ze draait haar hoofd en kijkt de andere kant op, ook daar grassprieten die uit de grond omhoogkomen.

# D.

Eerst heeft hij moeite met zwemmen, zijn armen weigeren dienst, alsof de hand van zijn vader om zijn pols zit en hem het water uittrekt, maar hij geeft niet op, hij houdt het hoofd boven water en gooit zijn armen naar voren, bij iedere slag vervaagt het beeld van zijn vader, tot het achter de horizon verdwenen lijkt te zijn en Daan krachtig door de koude zee zwemt. Hij drijft zelfs op zijn rug, kijkt naar de lucht, draait zich om en zwemt onder water. Bovengekomen schudt hij ontspannen de druppels water van zijn hoofd. 'Hou je me vast?' Ze staat op een grote steen aan de rand van het bergmeer. De zon verlicht haar gebronsde huid, hij zou haar overal willen kussen, hij knikt, hij staat in het kristalheldere water, als het meer niet zo diep was zou je de bodem kunnen zien, nu is het donker door de diepte, zo donker als de nachtelijke hemel. Wanneer hij haar een hand geeft, stapt ze ook het meer in, buigt zich naar hem toe en kust hem. Hij streelt haar rug, haar haren, en trekt haar naar beneden. Ze zwemmen tot de zon ondergaat, en het meer roze kleurt. Ze drogen elkaar af, kleden zich aan en lopen in het donker terug naar de berghut, waar ze zich in elkaar verstrengelen, een deken over zich heen trekken en in een diepe slaap vallen.

Het lijkt alsof hij naast haar ligt en tegelijkertijd in zee zwemt. Hij zwemt verder tot hij geen land meer ziet, tot er rondom alleen maar water is. Hij hoort zijn vader wanhopig roepen: 'Daan, waar ben je? Daan? Daan!?' Hier ben ik, hier in het water, wil Daan roepen, maar hij realiseert zich dat zijn vader daar helemaal niet staat.

Hoelang duurt het voor je onderkoeld bent? Een paar uur? Zal zijn aandacht dan verslappen? Hij hoort weer roepen, nu is het echt, een stem van een vrouw, Olivia, zou het Olivia zijn? Hij richt zijn hoofd op en kijkt naar het strand. Er staat een oude vrouw, ze zwaait naar hem, wenkt hem. Daan zwaait terug, maar ze schudt haar hoofd, ze wenkt hem opnieuw. Daan twijfelt, waarom zou hij naar haar toe gaan, hij wil nog verder. Opnieuw hoort hij roepen, misschien heeft ze hulp nodig. Met ferme slagen zwemt hij naar de kust. Als hij zijn voeten in het zand zet, ziet hij een oude vrouw bij zijn kleren staan. 'Gek,' snauwt ze hem toe, 'stomme gek, weet je niet dat hier een gevaarlijke stroming staat?' Daan kijkt geamuseerd naar de vrouw, ze heeft een stok in de handen, een lange blauwe jas, een doek over haar haren en kijkt hem boos aan, ze bromt nog iets wat hij niet kan verstaan. Dan wijst ze met haar stok naar zijn kleren op het zand. 'Aantrekken,' beveelt ze hem. Daan lacht. 'Het was heerlijk, mevrouw! Zou u ook eens moeten doen.' Even kijkt hij nog naar de zee, zou hij nog eens? Maar hij bedenkt zich, wat is hij hier in hemelsnaam aan het doen? Zwemmen in zeewater dat veel te koud is? Ze heeft gelijk, aantrekken die kleren en wegwezen!

Als hij zich met zijn shirt begint af te drogen, loopt de vrouw mopperend door. Hij trekt zijn blouse aan, sjort zijn blazer eroverheen, zijn pantalon plakt aan zijn natte benen, zijn sokken propt hij in de schoenen en op blote voeten loopt hij naar de auto. Wegwezen hier, hij heeft hier niets meer te zoeken. Hij gooit zijn schoenen achterin, steekt de sleutel in het contact en geeft gas.

# O.

Ze moet opstaan, wil ze niet ziek worden. Ze gaat op haar hurken zitten, slaat spetters modder van haar broek en gaat staan, de regen striemt op haar neer. Ze voelt zich nederig, staande in de regen met doorweekte kleren, alsof ze het niet zelf is die het leven vormgeeft, maar de wereld haar als speelbal gebruikt. Zie mij, hier sta ik, denkt ze, ik ben een naakt mens, naakt ben ik geboren en naakt zal ik weer gaan. Maar wie ben ik in die tussentijd?

Ze trekt haar voeten uit de modder en loopt langzaam het weiland uit, zonder te weten waarheen. Als ze maar vooruit gaat, of niet per se vooruit, als ze maar weer in beweging komt. Als hij haar nu zou zien, wat dan? O, dat is een oude vraag. Een vraag die er niet toe doet, ze wil zijn medelijden niet, zijn troost of empathie. Als ze iets wil is het zijn liefde. Zijn wil om met haar het leven te delen. Of wacht, was ze al die tijd zo blind? Heeft ze dat echt niet doorgehad? Was ze bang hem te verliezen omdat ze met hem een deel van zichzelf zou verliezen? Al die ruzies, al die verwijten, al die ongemakkelijke momenten, al die dodelijke blikken, al die kleinerende woorden. Waarom, waartoe? Alleen omdat ze beiden bang waren, bang om werkelijk vrij te zijn? Wilden ze elkaar bezitten en wel zo dat er geen ruimte meer was voor de ander, voor het eigene van de ander? Waar waren ze toch zo bang voor? Om te vallen vanuit de hoogte van de liefde in de diepte van het verlies? Ja, misschien was het de angst. Ze sabelden elkaar simpelweg neer omdat ze het einde al dachten zonder dat het er was. Omdat ze zichzelf verloren in iets groters en dat verdroegen ze niet. Liever namen ze bezit van de ander, zodat die je geen pijn kon doen, je niet kon verlaten, je niet kon kwetsen. En doordat ze dat deden gebeurde precies dat waar ze bang voor waren. Ze verloren het geheel, ze verloren de ander, ze verloren de liefde, ze verloren zichzelf.

Voeten in het gras, de benen daarboven, de heupen die daarop meebewegen, haar buik, haar rug, haar armen die zachtjes heen en weer schommelen. Haar hoofd hangt naar beneden, maar waarom? Waarom niet rechtop? In vrijheid?

# D.

Vol gas rijdt hij de parkeerplaats af. Net op tijd kan hij een man met aktetas ontwijken, de man schreeuwt, maar Daan rijdt door, het dorp in, hij heeft geen idee waar hij heen moet, dus bepaalt hij bij iedere kruising zijn richting. Eerst rijdt hij voortdurend rondjes, het valt hem niet eens op, pas als hij voor de vijfde keer langs de bakker komt en een kind naar hem ziet wijzen, beseft hij wat hij doet. Hij slaat de hoofdstraat in en laat het strand achter zich. En nu? denkt Daan. En nu? Gedistingeerde man met beginnende stoppelbaard is in de war, heeft geen idee wie hij is en waar hij heen gaat. Daan Heraud zit in de auto. Dat is alles wat hij weet.

Hij kijkt voor zich uit. De weg is leeg voor zover

hij kan zien. Er rijdt op dit uur van de ochtend blijkbaar niemand van zee naar huis. De duinen doemen links en rechts op. Hij zou de auto ook ergens kunnen parkeren en door de heuvels kunnen gaan struinen, zijn hoofd in een kuiltje zand laten rusten. Nee, niet terug, hij geeft gas, de auto versnelt, plotseling, het is een ingeving, hij weet niet waarom, maar hij doet het, hij sluit zijn ogen en rijdt blind over de weg, alsof hij zich van het aardse bestaan verheft, zich niet hoeft te verantwoorden voor de keuzes die hij maakt en voor heel even niet bestaat, niet hóéft te bestaan, in deze context, in dit leven. Als hij zijn ogen weer opent, kan hij net op tijd met een zwaai naar links een afgewaaide tak ontwijken. Een tegenligger, op weg naar het strand met drie jonge kinderen achterin, toetert luid, Daan rukt het stuur naar rechts. Erbij blijven, Daan Heraud, niet wegzakken, alert zijn, wakker blijven!

Hij richt zijn blik op de witte lijn, niet afwijken, bocht nemen, rechtdoor. Hij likt zijn lippen, ze zijn zout van het water, hij proeft zijn handen, ook zout. Wat zou er gebeuren als hij al zijn gedachten eens het zwijgen oplegde? Kan hij dat? Tot nog toe faalde hij daar jammerlijk in. Hij heeft geen idee wat er overblijft als zijn geest zwijgt. Zijn ziel misschien? Zoals de ziel van de oude buurman ook nog een tijdje rondwaarde?

Maar wat was dat dan precies? En zou hij zijn eigen ziel kunnen begrijpen? Kunnen ervaren? En hoe dan?

De enige keer dat hij misschien een beetje van zijn ziel begreep, was toen hij Olivia voor het eerst in de ogen keek. Helderblauwe ronde ogen, met een twinkeling, een sprankeling van iets wat achter die ogen, in dat lichaam, in de mens voor hem verscholen lag. Hij kon zijn ogen er niet van losmaken en gelukkig draaide zij haar hoofd niet weg. Misschien zag ze ook iets bij hem? Wisten hun zielen meer dan zij wisten? Waren zij al die jaren van samenzijn onderworpen aan iets wat zij niet begrepen maar wat diep in hen wel begrepen werd? Dat zou toch krankzinnig zijn? Dat iets hen leidde zonder dat ze het wisten? En waarom was de oorlog dan toch uitgebroken?

Hij knijpt in het stuur, zijn gezicht is bleek. De groeven in zijn wangen en voorhoofd lijken in één nacht dieper te zijn geworden, alsof deze nacht hem iets heeft ingeprent waarvan hij zelf nog geen weet heeft.

# O.

Olivia heeft haar hoofd geheven, het ging eigenlijk vanzelf, misschien was het haar verlangen naar vrijheid, ze kijkt om zich heen, met een nieuwe blik, een blik die ze niet eerder had, ze ziet het blad aan de bomen, hoe het heen en weer waait, hoe de wind hier en daar een blaadje meeneemt, het luchtruim in, voelt hoe haar voeten door het gras lopen, hoe de aarde haar draagt, hoe de lucht haar zuurstof geeft, hoe haar hele lichaam tot leven komt. En zonder dat ze bewust de beweging inzet, het gaat als vanzelf, ze is als een blad dat door de wind wordt meegenomen, versnelt haar pas, laat ze haar voeten van de grond komen, ze denkt niet aan haar natte kleren, aan de koude grond waar ze zojuist op lag, zelfs niet aan Daan die haar verlaten heeft, ze danst, de ene voet naar voren, omhoog, de andere al in de lucht en heel even vliegt ze, tenen landen kort op de grond om vervolgens alweer los te veren, ze danst over de wereld alsof ze zojuist haar eerste passen heeft ontdekt. Al zou hij haar verlaten, dan nog zou ze dansen. Ze legt haar handen op haar borstkas, voelt hoe haar hart klopt, niet van verlangen, maar levendig, bruisend. Dan voelt ze hoe er tranen over haar wangen stromen. Niet van verdriet, niet van woede, maar van de mogelijkheid om opnieuw te beginnen, steeds opnieuw het leven te kunnen omhelzen.

Olivia blijft haar voeten heen en weer bewegen, van de aarde af, het luchtruim in, op en neer, ze danst naar huis. En het maakt haar niet uit als mensen haar vreemd aankijken, het maakt haar zelfs niet meer uit als ze haar gek vinden, als dit gekte is, laat dan de hele wereld maar gek worden.

# D.

Daan raast over de wegen, neemt afslagen zonder te weten waarheen, zweet druipt van zijn gezicht, hij veegt het weg en proeft het, het is net zo zout als het zeewater. Hij voelt ook zweet over zijn benen lopen. Angstzweet, denkt hij. Maar waarvoor? Voor zichzelf? Voor Olivia? Hij houdt zijn blik strak op de witte lijn, wat, denkt hij als hij een scherpe bocht naar rechts neemt, wat als het niet de liefde was die hem deed vluchten? Wat als het niet de liefde was, maar het systeem dat iedere liefde, iedere ziel vermorzelt omdat er steeds iets belangrijker is dan een streling, een moment van aandacht, een aai over het hoofd, wat overgebleven minuten om in elkaars ogen te staren? Wat als hij zichzelf niet in de liefde maar in het systeem verloren had?

Daan laat zijn voet van het gaspedaal glijden, de auto mindert vaart, maar hij laat het gebeuren, deze keer is hij zich ervan bewust, het overkomt hem niet, en terwijl de auto steeds langzamer gaat rijden, ziet hij zichzelf door de achtertuin van zijn ouders rennen, en ineens begrijpt hij waarom hij rent, waarom hij altijd rent, omdat hij vlucht, vlucht voor de woorden van zijn ouders die hem gevangen proberen te houden in hun liefde, hij ziet hoe hij met zijn ogen schichtig heen en weer beweegt op zoek naar houvast, op zoek naar iets waarop hij zijn aandacht kan richten, maar er is niets waar hij zich aan kan vasthouden, misschien kan dat ook niet, omdat hij te zeer op de vlucht is, wie vlucht heeft geen oog meer voor de buitenwereld, wie vlucht kan zich niet verbinden aan de omgeving, alles wat hij ziet wordt aangewend voor de vlucht, en dus ziet hij de jongen verder rennen, de tuin door, de tuin uit, en langzaam wordt hij ouder, en rent hij niet meer, het rennen is niet meer van zijn leeftijd, en toch vlucht hij nog, niet alleen voor zijn ouders maar voor alles wat hem grijpen wil, hij laat zijn armen slungelachtig langs zijn lichaam hangen, is niet van plan enige kracht in zijn bewegingen door te laten schemeren, zijn ouders slaan hem machteloos gaande, niet wetend dat hij door hun woede nog verder wegdrijft, dan ziet hij hoe de jongen verandert in een jongeman die zichzelf heeft aangeleerd hoe zich te gedragen, hij is gevlucht in de conventies, in de normen, in zo-hoort-het-nu-eenmaal, zijn ouders denken dat hun opvoeding alsnog haar vruchten heeft afgeworpen en omhelzen hem die ene keer per maand dat hij hen opzoekt blij, maar ze zien niet dat hij verdwenen is in de buitenwereld, dat hij er zelf niet meer is, dat hij afscheid heeft genomen van wie hij eigenlijk wilde zijn, en de aanpassing aan de conventies duurt zo lang, dat ook hij het vergeet, hij ziet zichzelf in het leven rondlopen, ziet hoe hij achter zijn bureau getallen optelt en aftrekt, tabellen maakt en cijferreeksen produceert, hoe hij naar huis gaat, zijn vrouw kust, een biertje drinkt, het vlees braadt, maar in hemelsnaam, waar is hij zelf gebleven? Waar is hij? De vlucht is onzichtbaar geworden, een status-quo, maar die is er nog wel, hij is nog altijd geheel en al verdwenen, en als hij een klein kind gebleven was, was hij nu nog aan het rennen.

De auto staat stil. Midden op de weg. Er claxonneert een tegenligger, maar Daan doet niets. Hij kan het niet opbrengen, zijn handen zijn van het stuur gegleden en liggen op zijn bovenbenen. Hij ziet zichzelf daar zitten, nee, niet precies zichzelf, hém ziet hij daar zitten, dat kind, die puber, die slungel, die twintiger, die dertiger, die veertiger, en hij is het niet, denkt hij nog, maar dan dringt langzaam tot hem door dat hij het wel is, dat hij het is naar wie hij zonet keek. Dat hij dat kind is, die puber, die slungel, die aangepaste dertiger, veertiger. En hij kan niets meer. Al zou het moeten, hij zou niet eens weten hoe hij de auto kon besturen.

# O.

Als ze dansend bij het tuinpad is aangekomen, voelt ze hoe de gewoonte aan haar trekt. De keurige arts die alles op een rijtje heeft, die beheerst en welgemanierd door het leven gaat. Ze ziet haast die variant van Olivia lopen, in de tuin, in huis, ziet hoe ze het eten bereidt, haar jas ophangt, de was doet, telefoneert, de rekeningen opmaakt, mails verstuurt, ze ziet haar bewegen en ze weet, dat ben ik niet, dat ben ik niet meer. Even wil Olivia hard wegrennen, net als Daan weggaan van wat er is, van wat ze ooit hebben opgebouwd, van hoe ze dachten dat het moest maar wat uitmondde in een weerzinwekkende constructie van het leven. Ze wil zich omkeren, weg van het huis, weg van het tuinpad, maar er is iets wat haar weerhoudt. Zou het niet mogelijk zijn om dwars door die opgetrokken muur te lopen? Zou het niet mogelijk zijn het leven in te dansen? Ze draait terug, opent het tuinhekje en staart in de leegte, in het harnas, in het masker dat daar ooit was, en weet dat als ze werkelijk tot leven wil komen, ze juist daardoorheen moet gaan, ze niets meer in moet houden. Olivia haalt diep adem, ze voelt de druk van de gewoonte als een zware mantel op haar schouders drukken maar ze schudt die van zich af, ze laat de mantel op de grond vallen, zwaait naar de Olivia die ze ooit is geweest, springt in de lucht en schreeuwt: 'Ik leef!'

# D.

Als er nu een vrachtwagen op hem inrijdt, dan moet het maar, dan is dit het einde, en misschien is dat ook niet erg, er overlijdt dan niet werkelijk een mens, maar een pose, een mens in vermomming, een mens die al die tijd dacht dat hij iets was, maar die net heeft ontdekt dat hij een soort omhulsel was. Dus blijft hij zitten, hij kijkt ook niet in zijn achteruitkijkspiegel, hij kijkt strak naar voren, met zijn blik op de weg, precies tussen de witte strepen. Opeens schiet er een lied zijn ziel binnen, ja, dat moet het zijn, het is niet zijn denken, niet zijn geest, iets wat daaraan voorbijgaat, zijn ziel?, ja, laat hij het zo maar noemen, als een ode aan zijn buurman: het begin van een lied schiet zijn ziel binnen.

*How many roads must a man walk down,*
*Before you call him a man?*
*The answer my friend is blowin' in the wind*
*The answer is blowin' in the wind.*

De melodie doet Daan zachtjes meedeinen, zijn voet tikt het ritme, dan opent hij zijn mond en zingt zachtjes:

*How many roads must a man walk down,*
*Before you call him a man?*

Er is geen antwoord, alleen het antwoord in de wind, en wie wil kan het vangen, maar als je het vangt is het alweer verdwenen, door de wind weer wat verderop geblazen. Hij moet alleen nog wat meer wegen zoeken. Luid toeterend raast er een auto voorbij, de bestuurder wijst op zijn voorhoofd. Als hij zichzelf nog een kans wil geven, moet hij dat nu doen, moet hij het leven grijpen. Hij zingt luid:

*Yes, how many times must a man look up*
*Before he can see the sky?*

Hij trapt het gaspedaal in en rijdt door. Zijn handen ontspannen zich, hij beweegt zijn hoofd zachtjes mee op het ritme van het lied, druppels zeewater landen op zijn blouse en op de voorruit, de ruit die hij gisteravond nog heeft betast om te kijken of hij er niet doorheen was gekropen.

*Yes, how many times must a man look up*

Waarheen hij rijdt weet hij nog steeds niet, maar het doet er niet meer toe. Het doet er volstrekt niet meer toe.

## O.

Als ze neerkomt op de grond, voelt ze hoe haar dans moeite heeft zijn kracht te behouden, de gewoonte van de pas lijkt haar weer mee te willen sleuren, in wat ooit was. Dus springt ze nogmaals de lucht in, en nog eens. Ze danst door de tuin, draait haar hoofd, haar nek, laat haar voeten over het tuinpad huppelen, zoals ze ooit huppelde als klein meisje, de zon op haar gezicht, een wit jurkje aan, een bloem in haar hand, verwonderd over de grote wereld die aan haar verscheen, nog onwetend van wat haar te wachten stond. Zo draait Olivia rond en rond in haar tuin en vergeet wie ze behoort te zijn, vergeet wie ze is, ze danst zichzelf het leven in.

## D.

Hij heeft het raam openstaan, de wind blaast zijn zeeharen droog. Hij slaat al zingend dan eens rechts, dan eens links af. Hij is niet op de vlucht, nee, hij is eerder een nomade, een nomade in zijn eigen leven, het ene moment achterlatend om het volgende te omarmen. Als hij een scherpe bocht naar links maakt en luidkeels *before you can call him a man* zingt, weet hij ineens wat hij gaat doen, hij rijdt terug, terug naar huis, niet om opnieuw te beginnen, niet om er een einde aan te maken, hij heeft geen idee hoe ze verder moeten, maar simpelweg omdat het onmogelijk is om niet nog één keer terug te keren en haar in de ogen te kijken. Om te zien of zij door de verwijdering hetzelfde vond en om te weten wie ze is als hij haar opnieuw ziet. Hij heeft geen idee in welke staat hij haar zal aantreffen. Hij weet ook niet wat hij zal doen als ze hem onmiddellijk de deur wijst, maar hij heeft geen keus, hij wil nog eenmaal terugkeren en als het nodig is gaan, maar dan ook écht gaan. Hij draait behendig alle bochten door op weg naar de snelweg, terug naar huis, of nee, zo voelt het niet, nee, het is terug naar iets waar hij gisteravond vandaan kwam, zonder precies te weten wat dat iets is of was. Misschien is het ook geen terug, hij rijdt weliswaar terug, maar hij gaat niet terug, hij gaat verder.

## O.

Als haar hart van al het dansen levendig in haar borstkas klopt, opent ze de achterdeur en loopt naar binnen, daar pakt ze de gebroken spiegel die al die tijd in de gang heeft gelegen, ze legt de helften op tafel tussen de borden en het bestek, en gaat met haar gezicht boven de twee stukken hangen, ze kijkt afwisselend in het ene en in het andere deel. Ze betast haar gezicht, haar wenkbrauwen, haar jukbeenderen, haar haargrens, haar neusvleugels, haar wangen, haar lippen, haar neusbrug, haar voorhoofd, het is alsof haar huid tot leven komt, het tintelt, het straalt onder haar eigen aanraking, ze buigt haar hoofd, kijkt in de spiegel, en hoewel er op een paar kilometer afstand mensen liggen te wachten op de kunde van haar handen, misschien wanhopen omdat hun dikke darm of ontstoken nier vandaag niet zal worden verwijderd, kan zij niet anders dan haar handen om haar gezicht vouwen, ze legt haar kin in haar handpalm en kijkt zichzelf voor het eerst recht in de ogen. Een nieuw begin, werkelijk een nieuw begin, alsof ze opnieuw geboren wordt, voor een tweede keer geboren wordt in dit leven, in het hier en nu, en alles weer mogelijk is, ze is vrij, werkelijk vrij, en mocht hij terugkeren, mocht hij zo in de keukendeur staan, dan zal ze hem met open armen ontvangen, dan zal ze hem strelen, zonder te weten hoe hun geschiedenis verder zal gaan, maar ze zal hem niet klemzetten, ze laat hem vrij, ze laat hen beiden vrij.

Ze kijkt naar deze nieuw gevonden vrijheid, hoe de vrijheid in haar ogen met een sprankeling weerspiegeld wordt, wie weet, denkt ze, zitten we over vele

jaren ergens in een klein café met de handen in elkaar, en lopen er twee jonge geliefden langs, nog niet
wetend wat hun te wachten staat, welke oorlog ze nog
gaan voeren, stoten elkaar aan en zeggen, zie, zo willen
we ouder worden, zoals die man en vrouw daar, naast
elkaar zittend met grijze haren in een klein café, de
handen ineengestrengeld, en met heldere ogen die
levenslustig de wereld in kijken.

En op het moment dat Olivia zich voorstelt hoe ze
de oorlog in vrijheid om kan zetten voelt ze haar hart,
nu dan, denkt ze, spreekt haar hart, is dit de taal van
haar hart?, ze reikt met haar hand naar boven, om hem
op haar hart te leggen, maar hij valt halverwege slap
naar beneden.

Ze zakt ineen, haar hoofd belandt op tafel, precies
tussen de twee stukken spiegel in.

## D.

Hij draait de auto de straat in, kijkt naar links en naar
rechts, er komt niets aan. Hij parkeert zoals hij dat al
jaren doet, keurig tussen de aangegeven strepen, het
was zelfs een sport om de wielen precies op evenveel
centimeter afstand van iedere lijn neer te zetten, nu in-
teresseert hem dat niet zo, hij kijkt naar het huis.

De gordijnen zijn dicht, hij weet niet of ze thuis is, de kans is groot dat ze over de snijtafel staat gebogen met een scalpel in haar hand. Wat heeft hij haar te zeggen? Wat kan hij haar zeggen? Hij weet het niet. Misschien is zijn stilte genoeg. Even aarzelt hij, maar dan vermant hij zich en stapt uit. Hij kijkt naar zijn blote voeten en natte blouse, hij wil zich omdraaien om sokken en schoenen aan te trekken, maar bedenkt zich. Hij loopt blootsvoets verder, doet het hekje open, loopt over het tuinpad en opent met bonzend hart de achterdeur.

Ze is niet gaan werken, is het eerste wat in hem opkomt als hij haar aan de keukentafel ziet zitten. De gedekte tafel is er nog altijd, ze heeft hem niet afgeruimd. Ze ligt voorovergebogen tussen het serviesgoed. Ze is nog altijd zijn vrouw, denkt hij, nog altijd, en toch heeft hij het gevoel dat hij naar een volslagen vreemde kijkt. Of is hij zelf een vreemde geworden?

Hij laat zijn blik langzaam over haar heen glijden, haar krullen, haar ranke schouders, hij wil bijna naar voren stappen om haar haren te strelen, maar bedenkt zich, misschien is er woede bij haar, misschien slaat ze hem van zich af, waarom reageert ze eigenlijk niet op zijn binnenkomst, en waarom ligt ze zo stil?

'Olivia?' fluistert hij. 'Olivia?'

# O.

Olivia is niet meer aan tafel, niet meer in de keuken, niet meer in huis.

# D.

Hij zegt het nu wat harder: 'Olivia?'

Nog altijd geen reactie.

'Olivia!' Hij loopt om haar heen en kijkt haar in het gezicht, hij ziet het meteen, haar ogen, ze staren in de eeuwigheid.

'Olivia!'

★

# D.

Een hartstilstand, het komt zo nu en dan voor op deze leeftijd, luidt de doktersverklaring. De kleine wonden op haar knieën kan de arts niet verklaren, ze hebben niets te maken met de doodsoorzaak, ze lijken veroorzaakt door glas, misschien is ze gevallen met de spiegel?

Hij begroef haar aan zee, bij het water.

Zijn herinneringen kan hij onmogelijk begraven, hij neemt ze mee, op weg, het leven in.